ДЖОН СТЕЙНБЕК

О МЫШАХ И ЛЮДЯХ

ИЗДАТЕЛЬСТВО АСТ
МОСКВА

УДК 821.111-31(73)
ББК 84(7Сое)-44
С79

Серия «Эксклюзивная классика»

John Steinbeck

MICE AND MEN
THE PEARL

Перевод с английского *В. Хинкиса* («О мышах и людях»),
Т. Зюликовой («Жемчужина»)

Серийное оформление *Е. Ферез*

Стейнбек, Джон.

С79 О мышах и людях. Жемчужина : [повести : перевод с английского] / Джон Стейнбек. — Москва : Издательство АСТ, 2019. — 256 с. — (Эксклюзивная классика).

ISBN 978-5-17-099511-0

«О мышах и людях» — повесть, не выходящая из ТОР-100 «Amazon», наряду с «Убить пересмешника» Харпер Ли, «Великим Гэтсби» Фицджеральда, «1984» Оруэлла.

Книга, включенная Американской библиотечной ассоциацией в список запрещенных вместе с «451° по Фаренгейту» Р. Брэдбери и «Над пропастью во ржи» Дж. Д. Сэлинджера. Обе ее экранизации стали заметным событием в киномире: картина 1939 года была номинирована на 4 премии «Оскар», фильм 1992-го — на «Золотую пальмовую ветвь».

В издание также включена повесть «Жемчужина».

УДК 821.111-31(73)
ББК 84(7Сое)-44

ISBN 978-5-17-099511-0

О МЫШАХ И ЛЮДЯХ

I

В нескольких милях к югу от Соледада река Салинас подступает вплотную к горам и течет у самых их подножий. Вода здесь глубокая, зеленая и теплая, потому что река эта долго текла по желтым пескам, поблескивая на солнце, прежде чем образовать небольшую заводь. На одном берегу золотистые предгорья круто поднимаются к могучему скалистому хребту Габилан, а на другом, равнинном, берегу растут деревья — ивы, которые покрываются каждую весну молодой зеленью и сохраняют на нижних листьях следы зимнего разлива, и сикоморы с пятнистыми, беловатыми кривыми сучьями и ветвями, которые склоняются над заводью. Земля под деревьями устлана толстым ковром листьев, таких хрустких, что даже ящерица пробежит — и то слышно. По вечерам из кустов вылезают кролики и сидят на песке, а ночью по сырому и ровному берегу снуют еноты да на песке остаются следы широких лап собак с окрестных ранчо и острых раздвоенных копыт оленей, которые приходят в темноте на водопой.

Меж ив и сикоморов вьется тропа, протоптанная мальчишками, прибегающими с ближнего ранчо купаться в глубокой заводи, и бродягами, которые по вечерам, свернув с шоссе, плетутся сюда переночевать у воды. Под низким прямым суком огромного сикомора скопилась куча золы от многого множества костров, а сам сук гладко отшлифован многим множеством людей, сидевших на нем.

К вечеру, после жаркого дня, поднялся ветерок и тихо шелестел в листве. Тени поползли вверх по склонам гор. Кролики сидели на песке недвижно, словно серые камни. А потом со стороны шоссе раздались шаги — кто-то шел по хрустким палым листьям сикоморов. Кролики бесшумно попрятались. Горделивая цапля тяжело поднялась в воздух и полетела над водой к низовьям. На миг все замерло, а потом двое мужчин вышли по тропе на поляну у заводи. Один все время шел позади другого, и здесь, на поляне, он тоже держался позади. Оба были в холстяных штанах и таких же куртках с медными пуговицами. На обоих были черные измятые шляпы, а через плечо перекинуты туго свернутые одеяла. Первый был маленький, живой, смуглолицый, с беспокойными глазами и строгим решительным лицом. Все в нем было выразительно: маленькие сильные руки, узкие плечи, тонкий прямой нос. А второй, шедший позади, был большой, рослый, с плоским лицом и пустыми глазами; шагал он косолапо, как медведь, тяжело волоча ноги. Руками на ходу не размахивал, они висели вдоль тела.

Первый так резко остановился на поляне, что второй чуть не наскочил на него. Первый снял шляпу, вытер кожаную ленту указательным пальцем и стряхнул капельки пота. Его дюжий спутник сбросил свернутое одеяло, опустился на землю, припал к зеленоватой воде и стал пить; он пил большими глотками, фыркая в воду, как лошадь. Маленький забеспокоился и подошел к нему сзади.

— Ленни! — сказал он. — Ленни, Бога ради, не пей столько.

Ленни продолжал фыркать. Маленький нагнулся и тряхнул его за плечо.

— Ленни, тебе же опять будет плохо, как вчера вечером.

Ленни, окунув голову в реку, уселся на берегу, и струйки воды, стекая со шляпы на голубую куртку, бежали у него по спине.

— Эх, славно, — сказал он. — Попей и ты, Джордж. Вволю попей.

И он блаженно улыбнулся.

Джордж отцепил свой сверток и осторожно положил его на землю.

— Я не уверен, что вода здесь хорошая, — сказал он. — Больно уж много на ней пены.

Ленни шлепнул по воде огромной ручищей и пошевелил пальцами, так что вода пошла мелкой рябью; круги, расширяясь, побежали по заводи к другому берегу и снова назад. Ленни смотрел на них не отрываясь.

— Гляди, Джордж. Гляди, чего я сделал!

Джордж встал на колени и быстро напился, черпая воду горстями.

— На вкус вроде бы ничего, — сказал он. — Только, кажись, здесь она непроточная. Всегда пей только проточную воду, Ленни, — сказал он со вздохом. — А то ведь ты, ежели пить захочешь, хоть из вонючей канавы напьешься.

Плеснув пригоршню воды себе в лицо, он вытер рукой лоб и шею. Потом снова надел шляпу, отошел от воды и сел, обхватив колени руками. Ленни, не сводивший с него глаз, в точности последовал его примеру. Он отошел от воды, обхватил руками колени и поглядел на Джорджа, желая убедиться, что все сделал правильно. После этого он поправил шляпу, слегка надвинув ее на лоб, как у Джорджа.

Джордж, насупившись, глядел на реку. От яркого солнца у него вокруг глаз появились красные ободки. Он сказал сердито:

— Могли бы доехать до самого ранчо, если б этот сукин сын, шофер автобуса, не сбил нас с толку. Это, говорит, в двух шагах, прямо по шоссе, всего в двух шагах. Куда там к черту, ведь получилось добрых четыре мили, не меньше! Просто ему неохота было останавливаться у ранчо, вот и все. Лень ему, видите ли, притормозить. Небось ему и в Соледаде остановиться неохота. Высадил нас и говорит: «Тут в двух шагах по шоссе». А я уверен, что мы прошли даже больше четырех миль. Да еще по такой адской жарище!

Ленни робко посмотрел на него.

— Джордж.

— Ну, чего тебе?

— Куда мы идем, Джордж?

Джордж рывком надвинул шляпу еще ниже на лоб и со злостью оглядел Ленни.

— Стало быть, ты уже все позабыл? Стало быть, начинай тебе все сначала втолковывать? Господи Боже, что за дубина!

— Я позабыл, — тихо сказал Ленни. — Но я старался не позабыть. Ей-богу, старался, Джордж.

— Ну ладно, ладно. Слушай. Ничего не поделаешь. Тебе хоть всю жизнь толкуй, ты все одно позабудешь.

— Я старался, очень старался, — сказал Ленни, — да ничего не вышло. Зато я про кроликов помню, Джордж.

— Какие, к черту, кролики! Ты только про кроликов и помнишь. Так вот. Слушай и на этот раз запомни крепко, чтоб у нас не было неприятностей. Помнишь, как мы сидели в этой дыре на Говард-стрит и глядели на черную доску?

Лицо Ленни расплылось в радостной улыбке.

— Конечно, Джордж. Помню... Но... что мы тогда сделали? Я помню, мимо шли какие-то девушки и ты сказал... сказал...

— Плевать, что я там такое сказал. Помнишь, как мы пришли в контору Мэрри и Рэди, где нам дали расчетные книжки и билеты на автобус?

— Конечно, Джордж. Теперь помню. — Он быстро сунул обе руки в карманы. Потом сказал тихо: — Джордж, у меня нет книжки. Я, наверно, ее потерял.

Он в отчаянье потупился.

— У тебя ее и не было, болван. Обе они у меня, вот здесь. Так я и отдам тебе твою книжку, жди. Как бы не так.

Ленни вздохнул с облегчением и улыбнулся.

— А я... я думал, она здесь.

И снова полез в карман.

Джордж подозрительно взглянул на него.

— Что это у тебя в кармане?

— В кармане — ничего, — схитрил Ленни.

— Знаю, что в кармане ничего. Теперь это у тебя в руке. Что у тебя в руке?

— Ничего, Джордж, честное слово.

— А ну, давай сюда.

Ленни спрятал сжатый кулак.

— Это же просто мышь, Джордж.

— Мышь? Живая?

— Ну да, мышь. Дохлая мышь, Джордж. Но я ее не убивал. Честное слово! Я ее нашел. Так и нашел — дохлую.

— Подай сюда! — приказал Джордж.

— Пожалуйста, Джордж, не отбирай ее у меня.

— Подай сюда!

Ленни неохотно разжал кулак. Джордж взял мышь и швырнул ее далеко через заводь, на другой берег, в кусты.

— И на что тебе сдалась дохлая мышь?

— Я гладил ее пальцем, когда мы шли, — ответил Ленни.

— Не смей этого делать, когда ходишь со мной. Так ты запомнил, куда мы идем?

Ленни в растерянности уткнулся лицом в колени.

— Я опять позабыл.

— Вот наказание, — сказал Джордж со смирением. — Слушай же. Мы будем работать на ранчо, как там, на севере, откудова мы пришли.

— На севере?

— В Уиде.

— Ах да. Помню. В Уиде.

— Ранчо вон там, четверть мили отсюда. Мы придем туда и спросим хозяина. Слушай внимательно: я отдам ему наши расчетные книжки, а ты помалкивай. Стой себе и молчи. Ежели он узнает, какой ты полоумный дурак, мы останемся без работы, а ежели увидит, как ты работаешь, прежде чем ты рот откроешь, наше дело в шляпе. Понял?

— Конечно, Джордж. Конечно же понял.

— Ладно. Так вот, стало быть, когда придем к хозяину, что ты должен делать?

— Я... я... — Ленни задумался. Лицо его стало напряженным. — Я... должен молчать. Стоять и молчать.

— Молодец. Очень хорошо. Повтори это раза три, чтобы получше запомнить.

– Я должен молчать... Я должен молчать... Я должен молчать...

— Ладно, — сказал Джордж. — Да гляди не натвори чего-нибудь, как в Уиде.

На лице Ленни появилось недоумение.

— Как в Уиде?

— Так ты, стало быть, и про это забыл? Ладно уж, не буду тебе напоминать, а то, чего доброго, еще раз такую же штуку выкинешь.

Лицо Ленни вдруг стало осмысленным.

— Нас выгнали из Уида! — выпалил он с торжеством.

— Выгнали, как бы не так! — сказал Джордж с возмущением. — Мы сбежали сами. Нас разыскивали, но — ищи ветра в поле.

Ленни радостно хихикнул.

— Вот видишь, я не позабыл.

Джордж лег навзничь на песок и закинул руки за голову. Ленни тоже лег, подражая ему, потом приподнялся, желая убедиться, что все сделал правильно.

— О Господи! От тебя, Ленни, одни сплошные неприятности, — сказал Джордж. — Я бы горя не знал, ежели б ты не висел у меня на шее. Как бы мне хорошо жилось... И может, у меня была бы девчонка.

Мгновение Ленни лежал молча, потом сказал робко:

— Мы будем работать на ранчо, Джордж.

— Ладно. Это ты запомнил. А вот ночевать нынче будем здесь, у меня на это свои причины.

Быстро смеркалось. Долина утонула в тени, и лишь вершины гор были освещены солнцем. Водяная змейка скользнула по заводи, выставив голову над водой, словно крошечный перископ. Камыш колыхался, волнуемый течением. Где-то далеко, близ шоссе, послышался мужской голос и ему откликнулся другой. Ветки сикоморов зашелестели под легким порывом ветра, который сразу же стих.

— Джордж, а отчего бы нам не пойти на ранчо сейчас, к ужину? На ранчо ведь дают ужин.

Джордж повернулся на бок.

— Это не твоего ума дело. Мне здесь нравится. А работать начнем завтра. Я видел, как туда везли молотилки. Стало быть, предстоит ссыпать зерно в мешки, надрываться. А нынче я хочу лежать здесь и глядеть в небо. Хочу, и все тут.

Ленни привстал и поглядел на Джорджа.

— Так у нас не будет ужина?

— Нет, будет, ежели ты насобираешь хворосту. У меня есть три банки бобов. Разложим костер. Когда соберешь хворост, я дам тебе спичку. А потом подогреем бобы и поужинаем.

— Но я люблю бобы с перченым томатным соусом, — сказал Ленни.

— Нет у нас соуса. Собирай хворост. Да пошевеливайся, а то скоро совсем стемнеет.

Ленни неуклюже встал и исчез в кустах. Джордж лежал, тихонько посвистывая. В той стороне, куда ушел Ленни, послышался плеск. Джордж перестал свистеть и прислушался.

— Дурак полоумный, — сказал он тихо и снова засвистал.

Вскоре вернулся Ленни, продираясь сквозь кусты. Он нес в руке одну-единственную ивовую ветку. Джордж сел.

— Ну-ка, — сказал он сурово, — подай мышь сюда!

Ленни с неожиданной смышленостью изобразил на лице недоумение.

— Какую мышь, Джордж? У меня нету никакой мыши.

Джордж протянул руку.

— Подай ее сюда. Меня ведь не проведешь.

Ленни робко попятился и бросил отчаянный взгляд на кусты, словно думал убежать. Джордж сказал сурово:

— Подашь ты мне эту мышь или же хочешь, чтоб я задал тебе хорошую трепку?

— Что тебе подать, Джордж?

— Ты сам отлично знаешь, черт тебя возьми! Подай мне мышь.

Ленни неохотно полез в карман. Голос его дрогнул.

— А почему мне нельзя оставить ее себе? Она ведь ничья. Я ее не украл. Я просто нашел ее на дороге.

Джордж по-прежнему решительно протягивал руку. Медленно, как собачонка, которая несет хозяину палку, Ленни подошел, потом попятился, потом подошел снова. Джордж нетерпеливо щелкнул пальцами, и Ленни торопливо положил мышь ему в руку.

— Но я ведь ничего плохого не сделал, Джордж. Я просто ее гладил.

Джордж встал и зашвырнул мышь далеко, в темнеющий кустарник, потом подошел к реке и тщательно вымыл руки.

— Дурак полоумный. Неужто ты не понимаешь: я увидал, что у тебя ноги мокрые, ведь ты ж ходил за ней через реку.

Он услышал, что Ленни заскулил, и обернулся.

— Нюни распустил, как маленький? Ох ты, Господи! Такой здоровенный детина, и плачет. — Губы Ленни кривились, глаза были полны слез. — Ну же, Ленни! — Джордж положил руку ему на плечо. — Я отобрал ее у тебя не по злобе. Ведь эта мышь давным-давно уж издохла, Ленни, и кроме того, ты, когда гладил ее, сломал ей хребет. Ну ничего, сыщешь другую мышь, живехонькую, и я, так уж и быть, позволю тебе оставить ее у себя ненадолго.

Ленни сел на землю и понурил голову.

— Я не знаю, где сыскать другую мышь. Помню, одна женщина отдавала мне мышей, как поймает. Но ее ведь здесь нету.

Джордж усмехнулся.

— Одна женщина? И ты не помнишь даже, кто она такая. А ведь это была твоя тетка Клара. Она потом перестала тебе их давать. Ты же всегда их убивал.

Ленни поднял голову и печально поглядел на Джорджа.

— Они были такие малюсенькие, — сказал он виновато. — Я их гладил, а потом они кусали меня за палец, и чуть только их ущипнешь, они сразу дохнут, потому что они такие малюсенькие. Поскорей бы у нас были кролики, Джордж. Они ведь не такие малюсенькие.

— К черту кроликов. Тебе нельзя давать живых мышей. Тетка Клара купила тебе резиновую мышь, но ее ты не захотел взять.

— Ее не так приятно гладить, — сказал Ленни.

Багрянец заката слинял с горных вершин, и сумерки сползли в долину, а меж ив и сикоморов уже царил полумрак. Крупный карп всплыл на поверхность заводи, глотнул воздуха и снова погрузился в таинственную темную воду, оставив на ее глади разбегающиеся круги. Листва снова зашелестела, и белый пух слетел с ив, опускаясь в воду.

— Приволокешь ты, наконец, хворосту? — спросил Джордж. — Вон у того сикомора целая куча сучьев, река принесла их туда в разлив. Тащи их скорей.

Ленни пошел к дереву и принес охапку сухих сучьев и листьев. Он бросил ее на старое кострище, сходил к дереву еще раз, потом еще. Была уже почти ночь. Над водой с шумом пролетел лесной голубь. Джордж подошел к куче и поджег листья. Сучья затрещали и занялись. Джордж развернул одеяло и вынул три банки бобов. Он поставил их у самого костра, но так, чтобы огонь их не касался.

— Этих бобов хватило бы на четверых, — сказал он.

Ленни смотрел на него, стоя по другую сторону костра. Он сказал умоляюще:

— Я люблю бобы с соусом.

— Но у нас нет соуса! — рассердился Джордж. — Вечно ты хочешь того, чего нету.

Боже праведный, будь я один, я бы и горя не знал. Работал бы себе спокойно. Никаких забот, получал бы каждый месяц свои пятьдесят долларов, ехал в город и покупал чего хотел. А ночь проводил бы с девчонками. И обедал бы где хотел, в гостинице или еще где, и заказывал бы чего только в голову взбредет. Каждый месяц. Брал бы целый галлон виски да играл бы в карты или же на бильярде.

Ленни присел на корточки и глядел поверх костра на рассерженного Джорджа. Лицо у него перекосилось от страха.

— А так что у меня есть? — продолжал Джордж все яростней. — У меня есть ты! Никому-то ты не нужен, и через тебя я все время теряю работу. Через тебя я вечно мыкаюсь по стране. И это еще не самое худшее. Ты то и дело попадаешь в беду. Натворишь чего-нибудь, а я тебя вызволяй. — Голос его возвысился почти до крика. — Ты полоумный сучий сын. Через тебя я все время как на иголках!

И он передразнил Ленни, как передразнивают друг друга маленькие девочки:

— «Я только хотел пощупать ее платье, только хотел погладить его, как мышку...» Но откуда ей, к чертовой матери, знать, что ты хотел только погладить ее платье? Она пробовала вырваться, но ты ухватил ее, как мышь. Она — в крик, и вот пришлось нам спрятаться да сидеть в оросительной канаве цельный день, покуда нас искали, а когда стемнело, мы едва унесли ноги. И так всегда, всегда! Посадить бы тебя в клетку вместе с мильоном этих самых мышей, радуйся тогда сколько влезет!

И вдруг он перестал сердиться. Он глянул поверх костра на страдальческое лицо Ленни, а потом, устыдясь, стал смотреть на огонь.

Было уже совсем темно, но костер освещал стволы и кривые ветки деревьев. Ленни медленно и осторожно пополз на четвереньках вокруг костра, пока не очутился рядом с Джорджем. Он присел на корточки. Джордж повернул банки другим боком к огню. Он делал вид, будто не замечает Ленни.

— Джордж, — окликнул его Ленни едва слышно. Ответа не было. — Джордж.

— Ну чего тебе?

— Я просто пошутил, Джордж. Я не хочу соуса. Я бы не стал есть соуса, даже ежели б он был вот здесь, прямо передо мной.

— Если б он был, ты мог бы поесть.

— Но я не стал бы, Джордж. Весь отдал бы тебе. Ты залил бы им бобы, а я б к нему и не притронулся.

Джордж все так же угрюмо смотрел в огонь.

— Как подумаю о том, до чего хорошо мне жилось бы без тебя, рехнуться можно. А так у меня нет ни минуты покоя.

Ленни все еще сидел на корточках. Он поглядывал в темную даль за рекой.

— Джордж, ты хочешь, чтобы я ушел?

— Куда ты, на хрен, пойдешь?

— Вон туда, в горы. Найду какую-нибудь пещеру.

— Да? А жрать чего будешь? У тебя ведь не хватит соображения, даже чтоб сыскать себе жратву.

— Я могу что-нибудь сыскать, Джордж. Мне ведь не нужна вкусная еда с соусом. Буду лежать себе на солнышке, и никто меня не тронет. А ежели найду мышь, то оставлю ее себе. И никто ее не отнимет.

Джордж бросил на него быстрый испытующий взгляд.

— Я тебя обидел, да?

— Ежели я тебе не нужен, пойду в горы да сыщу пещеру. Могу хоть сейчас уйти.

— Нет... Послушай, Ленни, я просто пошутил. Конечно же, я хочу, чтоб ты остался со мной. Вся беда в том, что ты всегда давишь этих мышей. — Он помолчал. — Вот что я сделаю, Ленни. При первой возможности подарю тебе щенка. Может, его ты не задавишь. Щенок лучше, чем мышь. И гладить его можно крепче.

Но Ленни не поддался на удочку. Он понимал свое преимущество.

— Ежели я тебе не нужен, ты только скажи, я уйду туда, прямо в горы, и буду жить там один. И никто не отнимет у меня мышь.

Джордж сказал:

— Я хочу, чтоб ты остался со мной, Ленни. Господи, да ведь тебя кто-нибудь подстрелит, приняв за койота, если я тебя брошу. Нет уж, оставайся со мной. Твоя тетка Клара, покойница, огорчилась бы, когда б узнала, что ты остался один.

Ленни сказал лукаво:

— Расскажи мне... как тогда...

— Про что рассказать?

— Про кроликов.

— Не морочь мне голову, — огрызнулся Джордж.

— Ну, Джордж, расскажи. Пожалуйста, Джордж. Как тогда! — взмолился Ленни.

— Стало быть, тебе это нравится? Ну ладно, слушай, а уж потом будем ужинать...

Голос Джорджа потеплел, смягчился. Он произносил слова чуть нараспев, но быстро, — видимо, рассказывал об этом далеко не в первый раз.

— Люди, которые батрачат на чужих ранчо, самые одинокие на свете. У них нет семьи. У них нет дома. Придут они на ранчо, отработают свое, а потом — в город, денежки проматывать, и глядишь, уж снова плетутся куда-нибудь на другое ранчо. И в будущем у них ничего нет.

Ленни ловил каждое слово.

— Во-во, правильно. А теперь расскажи про нас.

Джордж продолжал:

— Но мы совсем не то, что они. У нас есть будущее. И тебе, и мне есть с кем поговорить, о ком позаботиться. Нам незачем сидеть в баре и накачиваться виски только потому, что больше деваться некуда. Иной человек, ежели попадает в тюрьму, может сгнить там, никто и пальцем не шевельнет. Другое дело — мы.

— Другое дело — мы! — подхватил Ленни. — А почему? Да потому... потому, что у меня есть ты, а у тебя есть я, вот почему. — Он радостно засмеялся. — Говори же, Джордж, говори!

— Но ведь ты и так все знаешь наизусть. Можешь и сам рассказать.

— Нет, расскажи ты. Вдруг я чего-нибудь позабуду. Расскажи, как это будет.

— Ну уж ладно. Когда-нибудь мы сколотим деньжат да купим маленький домик, несколько акров земли, корову, свиней и...

— И будем сами себе хозяева! — воскликнул Ленни. — И заведем кроликов. Говори дальше, Джордж! Расскажи про наш сад, и про кроликов в клетках, и про дожди зимой, и про печь, и про то, какие густые сливки будем снимать с молока, так что их хоть ножом режь. Расскажи про это, Джордж.

— Отчего ты не расскажешь сам? Ведь ты все знаешь.

— Нет... расскажи ты. У меня так не выходит... Говори, Джордж. Про то, как я буду кормить кроликов.

— Так вот, — сказал Джордж. — У нас будет большой огород, и кролики, и цыплята. А зимой, в дождь, мы плюнем на работу, затопим печь, станем сидеть себе около нее да слушать, как дождь стучит по крыше... А, черт! — Он вынул из кармана перочинный нож. — Дальше некогда рассказывать. — Он вскрыл ножом одну жестянку и передал ее Ленни. Потом вскрыл вторую. Из бокового кармана он достал две ложки и одну дал Ленни.

Они уселись у костра и стали дружно жевать, набивая рты бобами. Несколько бобов выпали у Ленни изо рта.

Джордж ткнул в его сторону ложкой.

— Что ты скажешь завтра, когда хозяин спросит тебя о чем-нибудь?

Ленни перестал жевать и проглотил бобы, которые были у него во рту. Лицо его стало сосредоточенным.

— Я... я... буду молчать.

— Молодец! Вот это хорошо, Ленни. Кажется, ты становишься умнее. Когда у нас будет свое ранчо, я позволю тебе присматривать за кроликами. Особенно если ты все вот так же хорошо будешь помнить.

У Ленни дух захватило от радости.

— Я все буду помнить, — сказал он.

Джордж снова взмахнул ложкой.

— Послушай, Ленни. Оглядись хорошенько вокруг. Можешь ты запомнить это место? Ранчо вот там, в четверти мили отсюда. Нужно все время идти вдоль реки.

— Конечно, — сказал Ленни. — Я могу запомнить. Разве я не запомнил, что нужно молчать?

— Конечно, запомнил. Так вот, Ленни, если ты чего натворишь, как раньше, сразу же бегом сюда, чтоб спрятаться в кустах.

— Спрятаться в кустах, — медленно повторил Ленни.

— Да, спрятаться в кустах и ждать меня. Можешь это запомнить?

— Конечно, могу, Джордж. Спрятаться в кустах и ждать тебя.

— Но гляди, ничего не натвори, потому что иначе я не позволю тебе кормить кроликов.

Он швырнул пустую жестянку в кусты.

— Я ничего не натворю, Джордж. Я буду молчать.

— Ладно. Тащи свое одеяло к костру. Здесь хорошо спать. Видны небо и листья. Не подбрасывай больше хворосту. Пускай костер помаленьку угасает.

Они расстелили одеяла на песке. Костер догорал, и круг света суживался; кривые ветки исчезли в темноте, и вокруг смутно маячили лишь толстые стволы. Ленни спросил:

— Джордж, ты спишь?

— Нет. Чего тебе?

— Давай заведем всяких кроликов, Джордж, разных мастей.

— Само собой, — отозвался Джордж сонным голосом. — Красных, и синих, и зеленых кроликов, Ленни. Мильоны всяких кроликов.

— И чтоб они были пушистые, Джордж, такие, каких я видел на ярмарке в Сакраменто.

— Да, пушистые, известное дело.

— Но ведь я могу и уйти, Джордж, буду жить в пещере.

— И к черту тоже можешь уйти, — сказал Джордж. — А теперь заткни глотку.

Раскаленные уголья постепенно тускнели. За рекой, в горах, завыл койот, и с другого берега отозвалась собака. Листья сикоморов шелестели под легким ночным ветерком.

II

Барак был длинный, прямоугольником. Стены внутри побеленные, пол некрашеный. В трех стенах были маленькие квадратные оконца, а в четвертой — тяжелая дверь с деревянной щеколдой. По стенам стояли восемь коек, пять из них были застелены одеялами, а на трех валялись лишь холстинные тюфяки. Над каждой койкой был прибит ящик из-под яблок, так что получалась как бы полка для вещей постояльца. И полки эти были завалены всякой всячиной: мылом и пачками талька, бритвами и ковбойскими журналами, которые на ранчо так любят читать, и хотя смеются над ними, но втайне верят каждому слову. А еще на полках были лекарства в пузырьках и гребни; кое-где на гвоздях, вбитых рядом, висели галстуки. В углу была черная чугунная печь, труба ее выходила наружу прямо через потолок. Посреди комнаты стоял большой квадратный стол, на нем валялись истрепанные карты, а вокруг вместо стульев были расставлены ящики.

Около десяти часов утра солнце заглянуло в одно из оконцев, бросив на пол пыльный сноп света, и в этом свете, словно яркие искры, закружились мухи.

Деревянная щеколда стукнула. Дверь отворилась, и вошел высокий сутулый старик. На нем были синие джинсы, в левой руке он держал большую швабру. За ним вошел Джордж, а за Джорджем Ленни.

— Хозяин ждал вас вчера вечером, — сказал старик. — Он здорово разозлился, когда вы не пришли, хотел поставить вас на работу еще нынче утром.

Он вытянул правую руку, и из рукава высунулась круглая, как палка, культя без кисти.

— Занимайте вон те две, — сказал он, указывая на койки возле печи.

Джордж шагнул вперед и бросил оба одеяла на мешок с соломой, служивший тюфяком. Он оглядел полку и взял с нее маленькую желтую баночку.

— Послушай, а это что такое?

— Не знаю, — ответил старик.

— Здесь написано «Лучшее средство от вшей, тараканов и других паразитов». Куда это ты нас привел? Нам совсем неохота разводить у себя этакую живность.

Старый уборщик сунул швабру под мышку, протянул руку и взял баночку.

— Вот какое дело, — сказал он, помолчав. — Последним здесь спал один кузнец, славный малый, и такой чистоплотный, каких поискать. Мыл руки даже после еды.

— Так где ж он набрался этой дряни? — Джордж постепенно закипал злобой. Ленни положил свой сверток на соседнюю койку и сел. Он глядел на Джорджа открыв рот.

— Вот какое дело, — сказал старик. — Этот самый кузнец, Уити, был такой чудак, что сыпал порошок, даже ежели клопов не было — просто так, для верности, понимаешь? И еще вот что делал... Всегда чистил за столом вареную картошку и каждое пятнышко с нее соскребал, прежде чем съесть. И ежели на крутом яйце бывали красные пятнышки, он их тоже соскребал. Он и ушел отсюда из-за харчей. Вот он какой был чистоплотный и наряжался каждое воскресенье, даже если никуда не шел, галстук и то наденет, а потом сиднем сидит здесь, в бараке.

— Что-то не верится, — сказал Джордж подозрительно. — Из-за чего, говоришь, он ушел?

Старик положил баночку в карман и потер тыльной стороной ладони свои щетинистые щеки.

— Ну... просто ушел... как все люди уходят... Сказал, что из-за харчей. Наверно, хотел место переменить. Ни об чем другом не сказал, только об харчах. Просто однажды вечером говорит: «Давайте расчет», — как и все люди.

Джордж поднял тюфяк и заглянул под него. Наклонившись, он внимательно осмотрел холстину. Ленни тотчас встал и сделал то же самое. Джордж наконец как будто успокоился. Он развернул свой сверток и положил на полку бритву, кусочек мыла, гребень, пузырек с какими-то пилюлями, мазь и ремень. Потом аккуратно застелил койку одеялом. Старик сказал:

— Хозяин, наверно, сейчас придет. Ну и разозлился же он нынче утром, когда узнал, что вас нет! Мы в ту пору как раз завтракали, а он приходит и говорит: «Где же эти новые, черт бы их взял?» И конюху от него крепко досталось.

Джордж расправил складку на одеяле и сел.

— Конюху досталось? — переспросил он.

— Ну да. Понимаешь, конюх у них негр.

— Негр?

— Ну да. Славный малый. С тех пор как его лошадь лягнула, он стал горбун. Хозяин всегда на нем зло срывает. Но ему на это плевать. Он все читает книжки. У него пропасть этих самых книжек.

— А ваш хозяин что за человек? — спросил Джордж.

— Славный малый. Иногда, правда, зверь зверем, а так ничего, славный малый. Знаешь, что он сделал на Рождество? Принес галлон виски и говорит: «Пей, ребята, вволю. Рождество бывает раз в году».

— Вот это здорово! Цельный галлон?

— Да, брат. Ну и потеха пошла. Негра тоже сюда позвали. Хилый погонщик, Кузнечик по прозванию, стал приставать к негру. Вот дело было! Ребята не позволили ему бить ногами, и негр кое-как уцелел. Кузнечик говорит, что убил бы негра, ежели б ему позволили бить ногами. Но ребята сказали, что, раз негр горбатый, ногами бить нельзя. — Он замолчал, припоминая. — А потом они поехали в Соледад и здорово там нашумели. Я не поехал. Где уж мне на старости лет.

Ленни тем временем застелил свою койку. Деревянная щеколда поднялась, и дверь отворилась. Вошел маленький, коренастый человек и остановился на пороге. На нем были синие джинсы, фланелевая рубашка, черный незастегнутый жилет и такой же черный пиджак. Большие пальцы он заткнул за пояс по обе стороны от квадратной стальной пряжки. На голове у него была засаленная широкополая шляпа, на ногах — башмаки на высоких каблуках и со шпорами, которые он носил, чтобы показать, что он не бездельничает.

Старик, увидев его, сразу попятился к двери, шаркая ногами и потирая на ходу щеку.

— Эти двое только что пришли, — сказал он и проскользнул мимо хозяина за дверь.

Хозяин вошел в комнату, мелко шагая толстыми ногами.

— Я написал Мэрри и Рэди, что мне нужны два человека сегодня с утра. Документы при вас?

Джордж полез в карман, достал два листка и протянул их хозяину.

— Выходит, Мэрри и Рэди ни при чем. Здесь написано, что вы должны выйти на работу сегодня с утра.

Джордж глядел себе под ноги.

— Шофер автобуса завез нас не в ту сторону, — сказал он. — Пришлось тащиться пешком десять миль. Он сказал, что это рядом, а оказывается, вон как далеко. И попутных машин все утро не было.

Хозяин прищурил глаза.

— Пришлось послать в поле на двух человек меньше. Теперь уж до обеда вам нету смысла идти.

Он достал из кармана записную книжку и открыл ее там, где она была заложена карандашом. Джордж бросил на Ленни многозначительный взгляд, и Ленни кивнул, показывая, что понял. Хозяин послюнил карандаш.

— Имя, фамилия?

— Джордж Милтон.

— А ты?

— Он — Ленни Малыш.

Хозяин записал обоих в книжку.

— Так вот, сегодня у нас двадцатое число, полдень. — Он закрыл книжку. — А раньше вы где работали?

— Неподалеку от Уида.

— И ты тоже? — спросил хозяин, обращаясь к Ленни.

— Да, и он тоже, — сказал Джордж.

Хозяин с усмешкой указал на Ленни:

— Он, кажется, не очень-то разговорчивый?

— Не очень, зато работящий. И силен как бык.

Ленни улыбнулся.

— Силен как бык, — повторил он.

Джордж бросил на него свирепый взгляд, и Ленни, пристыженный, понурил голову.

Вдруг хозяин сказал:

— Послушай-ка, Малыш. — Ленни поднял голову. — Что ты умеешь делать?

Ленни испуганно поглядел на Джорджа, ожидая помощи.

— Он умеет делать все, что ему велят, — сказал Джордж. — Хорошо управляется с лошадьми. Может ссыпать зерно в мешки, пахать и боронить землю. Словом, он все умеет. Вы его только испробуйте.

Хозяин повернулся к Джорджу.

— Так чего ж ты ему не даешь самому сказать? Голову мне морочишь?..

Джордж громко перебил его:

— Я же не говорю, что у него ума палата. Нет. Я говорю только, что он работник, каких днем с огнем не сыщешь. Может поднять кипу хлопка весом в добрых четыреста фунтов.

Хозяин тщательно спрятал записную книжку в карман. Он засунул большие пальцы рук за пояс и прищурил один глаз.

— Слышь, чего это ради ты его расхваливаешь?

— А?

— Я спрашиваю, что тебе за дело до этого малого. Ты небось прикарманиваешь его денежки?

— Да нет же, что вы. С чего вы взяли, что я его расхваливаю?

— Сроду не видал, чтоб кто-нибудь из вашего брата так заботился о другом. Я просто хочу знать, какая тебе от этого выгода?

— Он мой... мой двоюродный брат, — сказал Джордж. — Я обещал его мамаше за ним присматривать. Его в детстве лошадь лягнула в голову. Но он малый ничего, хоть и глуп. Может делать все, что ему велят.

Хозяин уже повернулся к двери.

— Ну что ж, видит Бог, не надобно большого ума, чтоб ссыпать ячмень в мешки. Но смотри, не вздумай морочить меня, Милтон. Я вижу, за тобой нужен глаз да глаз. Отчего вы ушли из Уида?

— Работа кончилась, — поспешно ответил Джордж.

— Какая работа?

— Мы... мы рыли сточную яму.

— Ладно. Только не вздумай меня морочить, тебе это даром не пройдет. Видывал я таких умников. После обеда выйдете на работу вместе со всеми, будете ссыпать ячмень в мешки у молотилки. Под началом у Рослого.

— У Рослого?

— Да. Такой высокий, здоровенный детина. Увидите его за обедом.

Он снова повернулся и пошел к двери, но, прежде чем выйти, оглянулся и долго смотрел на обоих.

Когда его шаги замерли в отдалении, Джордж напустился на Ленни:

— Ты должен был молчать! Не разевать свою пасть и предоставить мне разговаривать. Через тебя мы чуть работу не потеряли!

Ленни уныло смотрел в пол.

— Я позабыл, Джордж.

— Позабыл! Ты всегда все забываешь, а я должен тебя вызволять. — Джордж тяжело плюхнулся на койку. — А теперь он будет за нами присматривать! Теперь надо глядеть в оба, не дай Бог промашку сделать. Теперь уж не смей и рта раскрыть.

Он угрюмо умолк.

– Джордж...

— Ну, чего тебе еще?

— Но ведь лошадь не лягнула меня в голову, правда, Джордж?

— И очень жаль, — сказал Джордж со злостью. — Это всех избавило бы от хлопот.

— А еще ты сказал, что я твой двоюродный брат, Джордж.

— Конечно, это неправда. К моему счастью. Будь я твоим родичем, я давно пустил бы себе пулю в лоб. — Он вдруг замолчал, быстро подошел к двери и выглянул наружу. — А ты какого дьявола здесь подслушиваешь?

Старик медленно вошел в барак. В руке он держал швабру. Следом за ним, ковыляя, вошла овчарка с седой мордой и блеклыми, ослепшими от старости глазами. Овчарка добрела до стены и улеглась, тихо ворча и вылизывая свою седую, изъеденную блохами шкуру. Старик глядел на нее, пока она не улеглась.

— Я не подслушивал. Просто остановился на минутку в тени и погладил собаку. Я только что кончил прибирать в умывальной.

— Нечего совать нос в наши дела, — сказал Джордж. — Терпеть не могу любопытных.

Старик забеспокоился, перевел взгляд с Джорджа на Ленни, потом снова на Джорджа.

— Я только что подошел, — сказал он. — Не слышал ни слова, об чем вы тут говорили. Меня это вовсе не интересует. У нас на ранчо никогда не подслушивают и не задают вопросов.

— И хорошо делают, — сказал Джордж, смягчившись. — А не то и вылететь недолго.

Но старик снова заверил его, что и не думал подслушивать.

— Сядь, посиди с нами, — сказал Джордж. — Какая старая у тебя собака.

— Да. Я взял ее еще щенком. Хорошая была овчарка.

Он поставил швабру у стены и тыльной стороной ладони потер белую щетину на щеке.

— Ну, как вам показался хозяин? — спросил он.

— Ничего. Хороший человек.

— Славный малый, — согласился старик. — Он только с виду такой сердитый.

В барак вошел молодой мужчина; он был худощав, смуглолиц, с карими глазами и густыми вьющимися волосами. На левой руке у него была рукавица, а на ногах, как и у хозяина, — башмаки с высокими каблуками.

— Не видали моего старика? — спросил он.

— Он только что был здесь, Кудряш, — сказал уборщик. — Наверно, пошел на кухню.

— Пойду догоню его, — сказал Кудряш.

Но тут он заметил незнакомых людей и остановился. Он злобно поглядел на Джорджа, потом на Ленни. Руки его медленно согнулись в локтях, кулаки сжались. Он весь напрягся и слегка присел. Теперь он бросил на них одновременно оценивающий и вызывающий взгляд. Ленни съежился под этим взглядом и робко переминался с ноги на ногу. Кудряш с опаской подошел к нему поближе.

— Вы, стало быть, и есть те новенькие, которых ждал мой старик?

— Мы только что пришли.

— Пусть говорит вот этот верзила.

Ленни в растерянности съежился еще больше.

— А если он не хочет говорить? — сказал Джордж.

Кудряш резко повернулся к нему.

— Богом клянусь, я заставлю этого верзилу отвечать, когда его спрашивают. А ты-то чего суешься?

— Мы с ним вместе работаем, — сказал Джордж угрюмо.

— Вот как!

Джордж весь напрягся, но не двинулся с места.

— Да, вот так.

Ленни беспомощно поглядел на Джорджа, не зная, что делать.

— И ты не позволяешь ему говорить, что ли?

— Пускай говорит, если хочет чего сказать.

— Мы только что пришли, — тихо сказал Ленни.

Кудряш, сразу успокоившись, поглядел на него.

— Так вот, в другой раз отвечай, когда тебя спрашивают.

Он повернулся и вышел. Руки его все еще были слегка согнуты в локтях.

Джордж проводил его взглядом, потом посмотрел на старика.

— Слушай, какого черта ему надо? Ленни ему ничего не сделал.

Старик опасливо покосился на дверь, чтобы убедиться, не подслушивает ли кто.

— Это хозяйский сын, — сказал он тихо. — Ловко дерется. Боксом занимался. Выступал в легком весе, лихо дрался.

— Ну и пусть, — сказал Джордж. — Нечего ему приставать к Ленни. Ленни ему ничего не сделал. Что он имеет против него?

Старик подумал немного.

— Ну... вот какое дело... Кудряш, как и многие, которые малы ростом, терпеть не может здоровых парней. Так и лезет в драку. Видно, они его бесят, потому что сам он низкорослый. Ты, наверно, не раз видел таких. Все время задираются.

— Конечно, — сказал Джордж. — Я много перевидал такой мелюзги. Но этот Кудряш пусть лучше не думает, что Ленни ему спустит. Ленни не очень-то ловкий, но этому сопляку крепко достанется, ежели он ввяжется в драку с Ленни.

— Ну, Кудряш ужас какой ловкий, — с сомнением сказал старик. — Я всегда считал, что он не по справедливости поступает. Положим, Кудряш пристанет к такому вот здоровяку и вздует его. Тогда всякий скажет: «Какой молодчина этот Кудряш». Ну, а положим, он пристанет и его самого вздуют. Тогда все скажут: «Вот связался черт с младенцем» — и, может, даже всем скопом вздуют того, здоровенного. Я всегда считал, что это не по справедливости. А только Кудряш никому не дает спуску.

Джордж посмотрел на дверь и сказал с угрозой:

— Ну, пускай лучше держится от Ленни подальше. Ленни не драчун, но он сильный и не знает этих ихних правилов.

Он подошел к столу и сел на один из ящиков. Собрал карты, стасовал их.

Старик присел на другой ящик.

— Не говори Кудряшу, что я тебе про него рассказывал. А то он с меня шкуру спустит. Ему что! Его-то не выгонят, он ведь хозяйский сынок.

Джордж стасовал колоду и начал переворачивать карты, глядя на каждую и бросая ее в кучу.

— Сдается мне, что этот Кудряш — просто сучий сын, — сказал он. — Не люблю такую вот злобную мелюзгу.

— Он еще хуже стал в последнее время, — сказал старик. — Женился недели две назад. Живет с женой в хозяйском доме. Кудряш, с тех пор как женился, совсем осатанел.

— Может, перед женой храбрость свою показать хочет, — проворчал Джордж.

Старик обрадовался случаю посплетничать.

— Видал рукавицу у него на левой руке?

— Да. Видал.

— Так вот, она вся пропитана вазелином.

— Вазелином? На кой шут?

— Вот дело какое... Кудряш говорит, что эту руку он для своей супружницы умягчает.

Джордж внимательно рассматривал карты.

— И не стыдно ему про это языком трепать!

Старик оживился. Он все-таки заставил Джорджа сказать плохое о хозяйском сынке. Теперь ему нечего было опасаться, и он разоткровенничался.

— Вот погоди, увидишь его супружницу.

Джордж снова стасовал карты и стал медленно, старательно раскладывать пасьянс.

— Хорошенькая? — спросил он небрежно.

— Да, хорошенькая. Но...

Джордж внимательно рассматривал карты.

— Что «но»?

— Мужчинам куры строит.

— Да ну? Две недели как замуж выскочила и уже куры? Может, поэтому Кудряш и осатанел?

— Я видел, как она с Рослым это самое. Рослый у нас — старший возчик. Славный малый. Ему не надобно носить башмаки на высоких каблуках, чтоб его слушались. Так вот, я видел, как она с ним пробовала. И с Карлсоном тоже.

Джордж притворился, будто ему это неинтересно.

— Кажется, предстоит потеха.

Старик встал с ящика.

— Знаешь, что мне сдается? — Джордж не ответил. — Сдается мне, что Кудряш женился на... потаскушке.

— Не он первый, не он последний, — отозвался Джордж.

Старик поплелся к двери. Его старая собака подняла голову и огляделась, потом с трудом встала на ноги, собираясь идти за ним.

— Надо налить для ребят воду в умывальник. Они скоро придут. Вы ячмень ссыпать будете?

— Да.

— Смотрите же, не говорите ничего Кудряшу.

— Само собой, не скажем.

— Так вот, ты приглядись к ней. Сам увидишь, потаскушка она или же нет.

Он вышел за дверь на яркий солнечный свет.

Джордж задумчиво раскладывал карты по три. Потом прикрыл тузы четверкой треф. Сноп солнечных лучей падал теперь на пол, и мухи проносились сквозь него, как искры. Снаружи послышалось позвякивание сбруи и кряхтение тяжело груженных повозок. Издали донесся звонкий крик:

— Конюх, эй, конюх! Куда запропастился этот черномазый?

Джордж посмотрел на свой пасьянс, потом смешал карты и повернулся к Ленни. Ленни лежал на койке и глядел на него.

— Слышишь, Ленни! Неладно здесь. Я что-то опасаюсь. Из-за этого Кудряша ты попадешь в беду. Видал я таких. Он вроде бы тебя прощупывал. Решил, что ты испугался, и теперь при первом случае станет бить.

Глаза у Ленни расширились от страха.

— Не хочу я попасть в беду, — сказал он жалобно. — Не давай ему бить меня, Джордж.

Джордж встал, подошел к Ленни и сел на его койку.

— Терпеть не могу таких гадов, — сказал он. — Я их много перевидал. Как сказал этот старик, Кудряш ничем не рискует. Он всегда в выигрыше. — Джордж помолчал, размышляя. — Если он будет к тебе приставать, Ленни, придется нам отсюда уйти. Это яснее ясного. Он — хозяйский сынок. Слышишь, Ленни? Постарайся держаться от него подальше, ладно? Никогда с ним не разговаривай. Если он придет сюда, сразу уходи в другой конец комнаты. Ладно, Ленни?

— Не хочу попасть в беду, — скулил Ленни. — Я его не трогал.

— Ну, это не поможет, если Кудряш захочет показать свою храбрость. Просто не имей с ним никакого дела. Запомнишь?

— Конечно, Джордж. Я должен молчать.

Шум приближался, нарастал — стук копыт по твердой земле, скрип колес и позвякивание упряжи. Люди перекликались меж собой. Джордж, сидя на койке подле Ленни, в задумчивости хмурился. Ленни спросил робко:

— Ты не сердишься, Джордж?

— На тебя — нет. Сержусь на этого подлого Кудряша. Я надеялся, что мы заработаем здесь хоть сотню долларов. — В голосе его зазвучала решимость. — Держись подальше от Кудряша, Ленни.

— Конечно, Джордж. Я буду молчать.

— Не допускай, чтоб он втравил тебя в драку, но уж если этот сучий сын полезет к тебе, дай ему хорошенько.

— Что ему дать, Джордж?

— Ну ладно, это не важно. Я тебе тогда скажу. Не переношу этаких подлецов. Слышь, Ленни, ежели случится беда, ты помнишь, что я велел тебе сделать?

Ленни приподнялся на локте. Лицо его стало напряженным. Потом он печально посмотрел Джорджу в глаза.

— Ежели случится беда, ты не позволишь мне кормить кроликов.

— Да я не об том. Помнишь, где мы сегодня ночевали? Ну, возле реки?

— Да. Помню. Ну конечно, помню! Я должен побежать туда и спрятаться в кустах.

— И сиди там, покуда я за тобой не приду. Только чтоб тебя никто не видал. Спрячешься в кустах у реки. Повтори.

— Спрячусь в кустах у реки, в кустах у реки.

— Ежели случится беда.

— Ежели случится беда.

Снаружи заскрипела повозка. Раздался крик:

— Ко-о-нюх! Э-э-й, конюх!

Джордж сказал:

— Повторяй это время от времени про себя, Ленни, чтоб не позабыть.

Оба подняли головы, потому что прямоугольник света в дверях вдруг померк. На пороге стояла молодая женщина. У нее были полные, ярко накрашенные губы и большие, сильно подведенные глаза. Ногти были ярко-красные. Волосы ниспадали мелкими локонами, похожими на колбаски. На ней было бумажное домашнее платье и красные домашние туфли, над которыми торчали пучки красных страусовых перьев.

— Я ищу Кудряша, — сказала она.

Голос у нее был какой-то ломкий и чуть в нос.

Джордж отвернулся, потом снова поглядел на нее.

— Он был здесь минуту назад, но куда-то ушел.

— А! — Она заложила руки за спину и прислонилась к дверному косяку, слегка пригнув голову. — Вы — новенькие. Только что пришли, да?

Ленни оглядел ее с головы до ног, и хотя она, казалось, не смотрела на него, едва заметно приподняла голову. Потом поглядела на свои ногти.

— Кудряш иногда заходит сюда, — объяснила она.

— Но сейчас его здесь нету, — сказал Джордж решительно.

— Если нету, поищу где-нибудь еще, — сказала она игриво.

Ленни смотрел на нее как завороженный.

— Если я его увижу, то скажу, что вы его искали, — проговорил Джордж.

Она лукаво улыбнулась и качнулась вперед всем телом.

— Что ж, мне его уж и поискать нельзя? — сказала она.

Позади нее раздались шаги. Она обернулась.

— А, Рослый, здравствуй, — сказала она.

За дверью послышался голос Рослого:

— Здравствуй, красуля.

— Я ищу Кудряша.

— Ну, не очень-то ты стараешься его найти. Я видел, как он пошел домой.

Она вдруг забеспокоилась.

— Пока, ребята, — бросила она через плечо и поспешила прочь.

Джордж посмотрел на Ленни.

— Господи, ну и штучка, — сказал он. — Так вот какую супружницу выбрал себе Кудряш.

— Она хорошенькая, — вступился за нее Ленни.

— Да, и, конечно, не прочь этим попользоваться. У Кудряша еще будет с ней хлопот полон рот. Провалиться мне, ежели ее не сманят за двадцать долларов.

Ленни все смотрел на дверь, возле которой она только что стояла.

— Ей-ей, она хорошенькая.

Он восторженно улыбнулся.

Джордж быстро взглянул на Ленни и сильно дернул его за ухо.

— Слышь, ты, дурак полоумный, — сказал он со злобой. — Не смей даже глядеть на эту суку. Что бы она ни сделала и что бы ни сказала! Я видел чертову пропасть этих паскуд, но этакой подлой шкуры еще не видывал. Держись от нее подальше.

Ленни попытался освободить ухо.

— Я ничего не сделал, Джордж.

— Известно, не сделал. Но когда она стояла у двери и выставила напоказ свои ноги, ты не отвернулся.

— Я ничего плохого не думал, Джордж. Честное слово, не думал.

— Так вот, держись от нее подальше, потому что через нее в два счета пропадешь, если я вообще чего-нибудь смыслю. Пускай Кудряш отдувается. Он сам виноват. Перчатка с вазелином! — сказал Джордж презрительно. — Я уверен, он и сырые яйца глотает да выписывает по почте всякие патентованные снадобья.

— Мне здесь не нравится, Джордж! — воскликнул вдруг Ленни. — Это плохое место. Я хочу уйти отсюда.

— Ничего не поделаешь, Ленни. Надо обождать, покуда денег не заплатят. Мы уйдем, как только можно будет. Мне самому здесь нравится не больше, чем тебе. — Он вернулся к столу и снова стал раскладывать пасьянс. — Нет, не нравится мне здесь, — сказал он. — И я сам убрался бы отсюда с превеликим удовольствием. Вот только сколотим сколько-нибудь деньжат, и непременно уйдем, доберемся до верховий Миссисипи и станем там золото мыть. Может, будем тогда зарабатывать по нескольку долларов в день и набьем себе карманы.

Ленни живо наклонился к нему.

— Уйдем, Джордж. Уйдем отсюда. Здесь плохо.

— Придется обождать, — обронил Джордж отрывисто. — А теперь помолчи. Сюда идут.

Из умывальной послышался плеск воды и звон тазов. Джордж разглядывал карты.

— Пожалуй, не мешало бы и нам умыться, — сказал он. — Но мы ведь не пачкались.

В дверях появился высокий человек. Под мышкой он держал измятую шляпу, а свободной рукой расчесывал длинные черные мокрые волосы. Как и все, он носил синие джинсы и короткую бумазейную куртку. Причесавшись, он вошел в комнату с достоинством, с каким входит только король или подлинный мастер своего дела. Это был старший возчик, король ранчо, который мог управлять разом десятью, шестнадцатью, а то и двадцатью мулами. Он мог убить кнутом муху на крупе коренника, не причинив ему ни малейшей боли. Держался он так спокойно и величественно, что стоило ему заговорить, и все сразу же умолкали. Авторитет его был до того велик, что ему принадлежало решающее слово во всяком деле, будь то политика или любовное приключение. Это был Рослый, старший возчик. Его продолговатого лица, казалось, не коснулись годы. Ему можно было дать и тридцать пять, и все пятьдесят. Он умел угадывать недосказанное, говорил медленно и веско, с глубоким пониманием дела. Руки его, длинные и тонкие, всегда двигались изящно, как у танцовщицы.

Он разгладил мятую шляпу, свернул ее и швырнул на стол. Потом дружелюбно посмотрел на двоих незнакомцев.

— На дворе солнце вовсю светит, — сказал он приветливо. — А здесь ни зги не видать. Вы — новые?

— Только что пришли, — ответил Джордж.

— Будете ссыпать ячмень?

— Так велел хозяин.

Рослый сел на ящик напротив Джорджа. Он оглядел пасьянс, лежавший к нему вверх ногами.

— Надеюсь, вы будете работать со мной, — сказал он дружелюбно. — А то у меня есть там несколько молокососов, которые не отличат мешка с ячменем от воздушного шара. Вы, ребята, когда-нибудь ссыпали ячмень?

— А как же, — сказал Джордж. — Мне-то, правда, хвастаться нечем, но вот этот малый может один ссыпать больше зерна, чем иные вдвоем.

Ленни, который слушал разговор и переводил взгляд с одного на другого, самодовольно улыбнулся, услышав эту похвалу. Рослый одобрительно посмотрел на Джорджа — ему эта похвала тоже понравилась. Потом он наклонился над столом и взял за уголок карту, лежавшую в стороне.

— Вы, ребята, всегда работаете вместе?

Говорил он все так же дружески. Он располагал к откровенности, хоть и не был назойлив.

— Ну да, — сказал Джордж. — Помогаем друг другу. — Он указал на Ленни пальцем. — Ленни у меня не шибко-то соображает. Но работает — будь здоров. Славный малый, только вот не соображает. Я его давно знаю.

Рослый поглядел куда-то мимо Джорджа.

— У нас люди редко друг друга держатся, — сказал он задумчиво. — Не знаю почему. Может, в этом проклятом мире все боятся друг друга.

— Вдвоем куда лучше, — сказал Джордж.

В комнату вошел пузатый толстяк. С головы его еще стекала вода после умывания.

— Привет, Рослый, — сказал он и замолчал, разглядывая Джорджа и Ленни.

— Эти ребята только что пришли, — сказал Рослый, тем самым как бы представив их.

— Рад познакомиться, — сказал вошедший. — Я — Карлсон.

— Я — Джордж Милтон. А это вот — Ленни Малыш.

— Рад познакомиться, — повторил Карлсон. — Не такой уж он малыш. — И он тихонько рассмеялся своей шутке. — Никак не малыш, — сказал он. — Я у тебя вот что хотел спросить, Рослый. Как там твоя собака? Я видел ее нынче утром под повозкой.

— Она ощенилась вчерашней ночью, — ответил Рослый. — Девять щенков. Четверых я сразу же утопил. Ей стольких все равно не выкормить.

— Выходит, осталось пять?

— Да, пять. Самые крупные.

— А как думаешь, хорошие из них вырастут собаки?

— Не знаю, — сказал Рослый. — Наверное, овчарки. Когда у нее была течка, тут вокруг все больше кобели из породы овчарок вертелись.

— Стало быть, у тебя пять щенков, — продолжал Карлсон. — Думаешь всех себе оставить?

— Не знаю. Подержу их покудова у себя, пускай пососут Лулу.

— Слышь, Рослый, — задумчиво сказал Карлсон. — Я вот чего думаю. Собака у нашего старого уборщика Плюма Пудинга совсем старая, еле лапы волочит. Да и разит от нее псиной до невозможности. Зайдет она сюда, — потом два, а то и три дня вонь не выветривается. Пущай Плюм ее пристрелит, и дадим ему щенка, он ведь вырастет. А эту суку я за милю чую. Зубов нету, почти слепая, жрать и то не может, Плюм ее молоком поит. Остальное ей не по зубам.

Джордж не сводил глаз с Рослого. На дворе начали бить в железный рельс, сперва медленно, потом все быстрей и быстрей, пока эти удары не слились в сплошной звон. Звон прекратился так же внезапно, как и начался.

— Ну, конец, — сказал Карлсон.

За дверью раздались громкие голоса, и мимо прошла группа мужчин.

Рослый встал медленно, с достоинством.

— Пошли, ребята, тут зевать не приходится. Через две минуты не останется ни крошки.

Карлсон посторонился, пропуская Рослого вперед, и оба вышли на двор.

Ленни с тревогой смотрел на Джорджа. Джордж смешал карты в кучу.

— Да, — сказал Джордж. — Я слышал, Ленни. Я его попрошу.

— Белого с коричневыми пятнами! — воскликнул Ленни.

— Пошли обедать. Не знаю, право слово, есть ли у него белый с коричневыми пятнами.

Ленни неподвижно сидел на своей койке.

— Попроси его сейчас, Джордж, а то он и этих тоже утопит.

— Само собой. А теперь пойдем, вставай же, наконец.

Ленни спрыгнул с койки, и оба пошли к двери. Когда они подошли к порогу, в барак ворвался Кудряш.

— Вы не видали здесь женщину? — спросил он вызывающе.

— Заходила с полчаса назад, — ответил Джордж.

— Какого дьявола ей здесь было надо?

Джордж стоял, спокойно глядя на разъяренного мужчину. Он ответил дерзко:

— Сказала, что вас ищет.

Кудряш словно вдруг увидел Джорджа впервые. Он сверкнул глазами, смерил его взглядом, прикинул расстояние, оглядел его ладную фигуру.

— Ну и куда же она пошла? — спросил он наконец.

— Почем мне знать, — сказал Джордж. — Я ей вслед не глядел.

Кудряш сердито взглянул на него, повернулся и быстро пошел к двери.

— Знаешь, Ленни, — сказал Джордж. — Боюсь, что мне придется самому свести счеты с этим гадом. Не нравится мне его наглость. Боже правый! Ну ладно, пойдем. А то ведь нам эдак ничего и не достанется.

Они вышли на двор. Узкая полоска земли под окном была озарена солнцем. Издали доносился звон мисок.

Вскоре старая собака, прихрамывая, вошла в отворенную дверь. Она поглядела вокруг своими добрыми подслеповатыми глазами. Потом понюхала воздух, легла и положила голову на лапы.

Кудряш вернулся и теперь стоял, заглядывая в дверь. Собака вздрогнула, но как только Кудряш ушел, она снова уронила на лапы свою поседелую голову.

III

Хотя за окнами барака еще даже не начинало смеркаться, внутри было темно. Через открытую дверь слышались топот ног, одобрительные или насмешливые возгласы и звяканье — там играли в подкову.

Рослый и Джордж вдвоем вошли в темный барак. Рослый протянул руку над столом, где валялись карты, и зажег электрическую лампочку под жестяным абажуром. Стол залил яркий свет, отвесно отбрасываемый вниз конусом абажура, а по углам барака по-прежнему густела тьма. Рослый уселся на ящик. Джордж сел напротив него.

— Это не важно, — сказал Рослый. — Все равно мне пришлось бы почти всех утопить. Не за что и благодарить.

— Может, для тебя это и не важно, — сказал Джордж, — а для него это очень много значит. Ей-ей, не знаю, как и загнать его сюда на ночь. Он захочет спать со щенками в конюшне. Так и норовит залезть прямо к ним в ящик.

— Не важно, — повторил Рослый. — Ты про него верно сказал. Может, он и не больно много соображает, но работников таких я еще не видывал. Он, когда ссыпал зерно, чуть не до смерти замучил своего напарника. Никто не может за ним поспеть. Господи, первый раз вижу такого силача.

— Ленни только скажи, чего делать, — отозвался Джордж гордо, — и он все сделает, ежели только соображать не надобно. Сам он не соображает, что ж делать, зато старательно исполняет, чего ему велено.

Со двора послышалось звяканье подковы о железную стойку и негромкие одобрительные возгласы.

Рослый чуть отодвинулся от стола, чтобы свет не бил ему в глаза.

— Любопытно, что вы с ним всегда вместе.

Этими словами Рослый как бы вызывал Джорджа на откровенность.

— Что ж тут такого любопытного? — спросил Джордж напрямик.

— Сам не знаю. Люди редко живут так. Я, почитай, сроду не видал, чтоб двое вместе жили. Сам знаешь, как поступают работники на ранчо: приходят, занимают койку, работают месяц, а потом берут расчет и уходят поодиночке. Им наплевать на других. Потому и любопытно, что безмозглого вроде него и такого умницу, как ты, водой не разольешь.

— Он не безмозглый, — сказал Джордж. — Он безответный, но не сумасшедший. Да и я не больно умен, иначе я не гнул бы здесь спину за несчастные полсотни долларов. Будь я умен или хоть малость смекалист, у меня было бы свое маленькое хозяйство и я выращивал бы собственный урожай, заместо того, чтоб на других горбить.

Джордж наконец умолк. Он разговорился, ему хотелось говорить еще, а Рослый не поощрял его и в то же время не останавливал. Он просто сидел молча, готовый слушать.

— Это вовсе не любопытно, что мы с ним всегда вместе, — сказал Джордж после долгого молчания. — Мы оба родом из Оберна. Я знал его тетку Клару. Она взяла его к себе ребенком и вырастила. А когда тетка померла, Ленни стал работать со мной. И мы вроде бы привыкли друг к другу.

— Гм, — хмыкнул Рослый.

Джордж поглядел на Рослого и встретил его спокойный независимый взгляд.

— Любопытно! — сказал Джордж. — Я над ним немало измывался, любопытства ради. Разыгрывал с ним всякие шутки, он ведь такой робкий, что не может постоять за себя. Он даже не понимал, что над ним смеются. Вот я и забавлялся из любопытства. Ведь рядом с ним я выглядел бог весть каким умником. А он все сделает, что я ему ни велю. Велю ему, скажем, залезть на самую вершину горы, и он полезет. Но потом все это стало не так уж любопытно. Он никогда не сердился. Я лупил его почем зря, а ведь он мог переломать мне все кости одной рукой, но никогда пальцем меня не тронул. — Голос Джорджа зазвучал проникновенно. — Я тебе скажу, почему я перестал над ним надсмехаться. Как-то раз на берегу реки Сакраменто собралась толпа. Я разыгрывал из себя умника. Поворачиваюсь к Ленни да говорю: «Прыгай в воду». И он прыгнул. А плавает он как топор. Чуть не утоп, покуда мы его не вытащили. И он был так благодарен нам. Совсем позабыл, что я же и велел ему в воду прыгнуть. Ну, больше я такого не делал.

— Он добрый малый, — сказал Рослый. — Для этого ума не надо. Мне иной раз даже кажется, что чаще бывает наоборот. Взять по-настоящему умного человека — такой редко окажется добрым.

Джордж собрал в колоду разбросанные карты и принялся раскладывать пасьянс. Снаружи послышался звук шагов. В квадратах окон серели вечерние сумерки.

— У меня ни роду ни племени, — сказал Джордж. — Я много видал людей, которые ходят с ранчо на ранчо в одиночку. Что ж тут хорошего? Тоска смертная. Да и совсем озвереть недолго. Глотку друг другу готовы перегрызть.

— Да, такие звереют, — согласился Рослый. — Ни с кем и разговаривать по-человечески не хотят.

— Правда, с Ленни хлопот не оберешься, — сказал Джордж. — Но что делать, привыкаешь к человеку и уже не можешь с ним расстаться.

— Он не злой, — сказал Рослый. — Я же вижу, он совсем не злой.

— Конечно, не злой, но все время попадает в беду, потому что сам робкий и безответный. Вот, скажем, в Уиде... — Джордж вдруг замолчал и замер недвижно с картой в руке. Он пристально смотрел на Рослого. — Ты никому не скажешь?

— А что он натворил в Уиде? — спокойно спросил Рослый.

— Но ты никому не скажешь? Нет, конечно, нет.

— Что же он такого натворил в Уиде? — снова спросил Рослый.

— Ну, увидал он девчонку в красном платье. Безответный дурак — ему охота потрогать все, чего понравится. Просто потрогать, только и всего. Вот и протянул руку, чтоб потрогать это красное платье, тут девчонка давай визжать, а Ленни со страху держит ее, не знает, чего делать. Девчонка все визжит. Я был неподалеку, услышал ее визг и прибежал. Ленни уже вконец растерялся и все держит ее. Я выдернул из загородки жердину и огрел его по башке — только тогда он ее отпустил. Он был до того напуган, что просто не мог выпустить платье. А ведь он адски силен, сам видел.

Рослый спокойно, не мигая, смотрел на Джорджа. Он медленно кивнул.

— И что же дальше?

Джордж аккуратно уложил карты в ряд.

— Ну, эта девчонка побежала к судье и кричит, что ее изнасиловали. Мужчины в Уиде собрались, чтоб изловить и линчевать Ленни. Пришлось нам отсиживаться в оросительной канаве до самого вечера. Только головы высунули из воды среди камыша, что рос на краю канавы. А ночью — давай Бог ноги.

Рослый немного помолчал.

— А он этой девчонке ничего и впрямь не сделал? — спросил наконец Рослый.

— Да нет же. Просто напугал, и все. Я и сам напугался бы, если б он вдруг меня сгреб. Но он ей ничего не сделал. Только хотел потрогать ее красное платье, как вот теперь все время хочет гладить щенков.

— Он не злой, — сказал Рослый. — Я злых за милю чую.

— Конечно, не злой. И сделает все, что я ему...

Тут вошел Ленни. Его синяя куртка была накинута на плечи, и он шагал, наклонившись вперед.

— Ну как, Ленни? — спросил Джордж. — Нравится тебе щенок?

Ленни ответил, с трудом переводя дух:

— Он белый с коричневыми пятнами, как раз такого я и хотел.

Он пошел прямо к своей койке, лег, отвернулся к стене и подобрал колени.

Джордж аккуратно положил карты на стол.

— Ленни, — сказал он строго.

— А? Чего тебе, Джордж?

— Я ж тебе сказал, чтоб ты не смел приносить щенка сюда.

— Какого щенка, Джордж? У меня нету никакого щенка.

Джордж быстро подошел к Ленни, взял за плечо и заставил повернуться. Он протянул руку и вытащил крошечного щенка, которого Ленни прятал подле себя.

Ленни поспешно сел на койке.

— Отдай мне его, Джордж.

— Ступай и положи щенка назад в ящик, — приказал Джордж. — Он должен спать со своей матерью. Ты что, сгубить его хочешь? Он только вчера родился, а ты уже вынул его из ящика. Сейчас же отнеси его назад, а не то я скажу Рослому, чтоб он у тебя его отнял.

Ленни умоляюще протянул руки к Джорджу.

— Дай мне его, Джордж. Я отнесу его назад. Я не хотел сделать плохо, Джордж. Ей-ей, не хотел. Я только хотел его немножко погладить.

Джордж отдал ему щенка.

— Ладно. Живо тащи его в конюшню и больше не выноси оттуда. А то ты в два счета его придушишь.

Ленни торопливо вышел.

Рослый не двигался с места. Он посмотрел Ленни вслед.

— Вот черт! — сказал он. — Сущий ребенок, правда?

— Ну конечно же, он как ребенок. И такой же безобидный, только силен невесть как. Я уверен, что он теперь не придет ночевать. Будет спать в конюшне около этого щенка. Ну да ладно, пускай. Там он никому не помешает.

На дворе стемнело. Вошел старик Плюм Пудинг и направился к своей койке; следом за ним плелась его старая собака.

— Привет, Рослый. Привет, Джордж. Вы что, не играли в подкову?

— Надоело — каждый вечер играем, — сказал Рослый.

— Ни у кого не найдется глотка виски, ребята? — спросил Плюм. — У меня что-то живот разболелся.

— Нет, — сказал Рослый. — А то б я сам выпил, хоть у меня живот и не болит.

— До того разболелся, мочи нет, — пожаловался Плюм. — А все проклятая репа. Я ведь знал, что так будет, прежде чем взял ее в рот.

Со двора, где сгущалась темнота, вошел толстяк Карлсон. Он прошел в дальний конец комнаты и зажег вторую лампочку под жестяным абажуром.

— Тьма кромешная, — сказал он. — Вот черт, до чего этот черномазый ловко играет.

— Да, играет он лихо.

— Еще бы, — сказал Карлсон. — Никому выиграть не даст... — Он замолчал, потянул носом воздух и, все еще принюхиваясь, поглядел на старую собаку. — Черт, до чего ж от нее псиной разит! Выгони ее отсюдова, Плюм! Хуже нет, когда псиной воняет. Гони ее, тебе говорят.

Плюм пододвинулся к краю койки. Он протянул руку, потрепал старую собаку по голове и сказал виновато:

— Она у меня давно, и совсем я не замечал, чтоб от нее воняло.

— Вот что, я ее здесь терпеть не стану, — сказал Карлсон. — Эта вонь остается надолго. — Он тяжелыми шагами подошел к собаке и поглядел на нее. — Зубов нет, — сказал он, — лапы от ревматизма не гнутся. На кой она тебе сдалась, Плюм? Ведь она самой себе в тягость. Почему ты ее не пристрелишь?

Старик беспокойно заерзал на койке.

— Ну уж нет! Она у меня давно. Я взял ее еще щенком. Она помогала мне пасти овец, стерегла стадо, — сказал он с гордостью. — Теперь на нее поглядеть — не поверишь, но это была лучшая овчарка во всей округе.

— Я знавал одного человека в Уиде, — сказал Джордж. — У него был эрдельтерьер, который пас овец. Научился у других собак.

Но от Карлсона нелегко было отделаться.

— Слышь, Плюм, эта старая сука только зря мучается. Выведи ее на двор и выстрели прямо в башку, — он наклонился и показал куда, — вот в это место, она даже не узнает, что произошло.

Плюм посмотрел на него грустным взглядом.

— Нет, — сказал он тихо. — Не могу. Ведь она у меня так давно.

— Ей самой свет не мил, — настаивал Карлсон. — И воняет от нее так, что просто ужас. Ну ладно. Ежели хочешь, я сам ее пристрелю, избавлю тебя от этого.

Плюм спустил ноги с койки. Он взволнованно поскреб седую щетинистую щеку.

— Я так к ней привык, — сказал он тихо. — Взял ее еще щенком.

— Но ведь это просто жестоко — смотреть, как она мучается, — сказал Карлсон. — Послушай, у Рослого как раз сука ощенилась. Я уверен, что он даст тебе одного щенка. Правда, Рослый?

Рослый спокойно рассматривал старую собаку.

— Да, — сказал он. — Ежели хочешь, можешь взять щенка. — Он оживился: — Плюм, Карлсон прав. Эта собака сама себе в тягость. Ежели я стану таким вот дряхлым калекой, уж лучше пускай меня кто-нибудь пристрелит.

Плюм беспомощно посмотрел на него, потому что слово Рослого — закон на ранчо.

— Но ведь ей будет больно, — сказал он неуверенно. — А я согласен об ней заботиться.

— Я ее пристрелю так, что она ничего и не почувствует. Прицелюсь вот сюда, — сказал Карлсон. Он указал ногой. — Прямо в башку. Она и не рыпнется.

Плюм переводил взгляд с одного лица на другое — искал поддержки. На дворе уже совсем стемнело. Вошел молодой работник. Его плечи были пригорблены, и шагал он тяжело, словно нес невидимый мешок с зерном. Он подошел к своей койке и положил шляпу на полку. Потом взял измятый журнал и положил на стол под лампочку.

— Я тебе не показывал, Рослый? — спросил он.

— Что такое?

Вошедший перелистал журнал и ткнул пальцем:

— Читай вот здесь. — Рослый склонился над журналом. — Вслух давай.

— «Уважаемый редактор, — медленно начал Рослый, — я читаю ваш журнал уже шесть лет и уверен, что он самый лучший. Мне нравятся рассказы Питера Рэнда. По-моему, он ловко заливает. Печатайте побольше таких штук, как «Черный всадник». Я не мастак писать письма. Просто я решил сообщить всем, что за ваш журнал не жалко отдать пять центов».

Рослый удивленно поднял голову.

— Для чего это было читать?

— Дальше, — сказал Уит. — Прочти подпись внизу.

Рослый прочел:

— «Желаю успеха. Уильям Теннер».

Он снова взглянул на Уита.

— Так для чего ж это было читать?

Уит с важным видом закрыл журнал.

— Неужто ты не помнишь Билла Теннера? Он работал здесь месяца три назад.

Рослый задумался.

— Такой маленький? — спросил он. — Работал на пашне?

— Во-во, он самый! — воскликнул Уит.

— Так ты думаешь, это он написал?

— Я знаю в точности. Как-то раз сидели мы с Биллом здесь, в этой самой комнате. У Билла был свежий номер журнала. Сидит он, читает и, не поднимая головы, говорит: «Я написал письмо в редакцию. Интересно, поместили его или нет?» Но письма там не было. Билл и говорит: «Может, они его еще поместят». Так и вышло. Вот оно.

— Верно, — сказал Рослый. — Вот оно, в журнале.

Джордж протянул руку.

— Можно поглядеть?

Уит снова отыскал нужную страницу, но журнала не отдал. Он ткнул в письмо пальцем. Потом пошел к своей полке и бережно положил туда журнал.

— Любопытно знать, видал ли это сам Билл? — сказал он. — Мы с ним работали вместе на гороховом поле. Билл — славный малый.

Карлсон не принимал участия в разговоре. Он все глядел на старую собаку. Плюм с беспокойством следил за ним. Наконец Карлсон сказал:

— Ежели хочешь, я избавлю ее от страданий сейчас же, да и дело с концом. Ничего другого не остается. Жрать она не может, не видит ничего, даже ходить ей больно.

— Но ведь у тебя нет револьвера, — сказал Плюм с надеждой.

— Как бы не так. Есть, системы Люгера. Ей не будет больно!

— Может, лучше завтра... Обождем до завтра, — сказал Плюм.

— А чего тут ждать? — сказал Карлсон.

Он подошел к своей койке, вытащил из-под нее мешок и достал револьвер.

— Надо покончить сразу, — сказал он. — От нее так воняет, спать невозможно.

Он сунул револьвер в боковой карман.

Плюм бросил на Рослого долгий взгляд, надеясь, что тот вмешается. Но Рослый молчал. Тогда Плюм сказал тихо и безнадежно:

— Ну уж ладно, веди ее.

Он даже не взглянул на собаку. Снова улегся на койку, заложил руки за голову и стал глядеть в потолок.

Карлсон вынул из кармана короткий кожаный ремешок. Он нагнулся и надел ремешок на шею собаке. Все, кроме Плюма, следили за ним.

— Пошли, милая. Пошли, — сказал он ласково. А потом, как бы извиняясь, обратился к Плюму: — Она ничего и не почувствует.

Плюм не ответил и даже не пошевельнулся. Карлсон дернул за ремешок.

— Пошли, милая.

Старая собака с трудом встала и пошла за Карлсоном.

— Карлсон, — сказал Рослый.

— А?

— Ты знаешь, чего надобно сделать.

— О чем это ты?

— Возьми лопату, — отрывисто обронил Рослый.

— Ну, само собой... Я понял.

И он вывел собаку в темноту.

Джордж подошел к двери, закрыл ее и осторожно опустил щеколду. Плюм недвижно лежал на койке, глядя в потолок.

Рослый сказал громко:

— Там у одного мула копыто треснуло. Надобно замазать смолой.

Он замолчал. Снаружи было тихо. Шаги Карлсона затихли. В комнате тоже стало тихо. Тишина затягивалась.

Джордж засмеялся.

— А ведь Ленни сейчас в конюшне со своим щенком. Он теперь сюда и войти не захочет, раз у него щенок есть.

— Плюм, — сказал Рослый. — Ты можешь взять щенка, какого захочешь.

Плюм не ответил. Снова наступила тишина. Она словно выползла из ночной тьмы и заполнила комнату.

Джордж сказал:

— Никто не хочет перекинуться в картишки?

— Я бы, пожалуй, сыграл, — сказал Уит.

Они сели за стол, под лампочку, друг против друга, но Джордж не стасовал карты. Он в беспокойстве забарабанил пальцами по краю стола, и этот негромкий стук заставил всех обернуться. Джордж перестал стучать. Снова стало тихо. Прошла минута, другая. Плюм лежал неподвижно, глядя в потолок. Рослый посмотрел на него, опустил глаза и уставился на свои руки; одной ладонью он прикрыл другую. Откуда-то из-под пола раздался негромкий скребущий звук, и все сразу повернули головы. Только Плюм по-прежнему смотрел в потолок.

— Похоже, там крыса, — сказал Джордж. — Надо поставить крысоловку.

Уит наконец не выдержал:

— И чего он там возится? Ну, сдавай же карты! Этак мы ни одного кона не сыграем.

Джордж собрал карты и принялся их рассматривать. Снова стало тихо.

Вдали хлопнул выстрел. Все быстро взглянули на старика. Головы разом повернулись в его сторону.

Еще мгновение он продолжал смотреть в потолок. Потом, не сказав ни слова, медленно повернулся лицом к стене.

Джордж быстро стасовал карты и сдал. Уит пододвинул к нему грифельную доску для записи очков и фишки. Он сказал:

— Кажись, вы, ребята, и в самом деле пришли сюда, чтоб работать? Ну, ведь пришли-то вы в пятницу. Два дня придется работать, до воскресенья.

— Как так? — спросил Джордж с недоумением.

Уит насмешливо хмыкнул.

— Не понимаю, — сказал Джордж.

Уит снова хмыкнул.

— Должен понимать, ежели бывал на больших ранчо. Кто хочет приглядеться, приходит в субботу, под вечер. Он ужинает, да в воскресенье еще три раза поест, а в понедельник утром может позавтракать и уйти, палец о палец не ударив. Но вы пришли в полдень в пятницу. Как ни клади, а выходит полтора дня.

Джордж спокойно посмотрел на него.

— Мы хотим здесь остаться на некоторое время, — сказал он. — Нам с Ленни надобно подработать.

Дверь тихо приотворилась, и конюх просунул голову в щель. Это была черная изможденная голова с печальным лицом и покорными глазами.

— С вашего позволения, Рослый...

Рослый отвел глаза от старика Плюма.

— А? Это ты, Горбун? Тебе чего?

— Вы мне велели растопить смолу, чтоб замазать копыто у мула. Так я ее уж растопил.

— Да, понятно, Горбун. Я сейчас приду и все сделаю.

— Ежели хотите, я сделаю.

— Нет, я сам.

Он встал.

— И еще вот чего, — сказал Горбун.

— Да?

— Этот верзила, новичок, возится в конюшне с вашими щенками.

— Не беда, он им ничего не сделает. Я ему подарил одного.

— Я все же решился сказать вам про это, — продолжал Горбун. — Он их вынимает из ящика и держит в руках. Это им не на пользу.

— Ничего он им не сделает, — сказал Рослый. — Ну, пошли.

Джордж поднял голову.

— Если этот болван там мешает, вышвырни его вон, Рослый, — вот и все.

Рослый вслед за конюхом вышел из барака.

Джордж сдал карты, Уит взял свои и посмотрел в них.

— Видал новую куколку? — спросил он.

— Какую такую куколку? — удивился Джордж.

— Ну, новую супружницу Кудряша.

— Да, видал.

— Ну что, разве она не красавица?

— Я не разглядел, — сказал Джордж.

Уит с таинственным видом положил карты.

— Так вот, не зевай, гляди в оба. Тогда много кой-чего разглядишь. Она ничего и не скрывает. Я такой еще никогда не видел. На всех мужиков заглядывается. Ей-богу, даже конюху проходу не дает. И какого дьявола ей не хватает?

— А что, произошли какие-нибудь неприятности с тех пор, как она здесь? — спросил Джордж как бы невзначай.

Было ясно, что Уита карты не интересуют. Он уронил руку на стол, и Джордж, отобрав у него карты, стал раскладывать пасьянс: семь карт и шесть сверху, а поверх — еще пять.

Уит сказал:

— Понятно, об чем ты спрашиваешь. Нет, еще ничего не было. Кудряш бесится, только и всего, но едва ребята вернутся с работы, она уж тут как тут. Ищет, мол, мужа или забыла здесь что-то. Похоже, ее здорово тянет к мужчинам. А Кудряш так и кипит, но покуда сдерживается.

— Она еще наделает тут делов, — сказал Джордж. — Из-за нее не миновать заварухи. В два счета можно угодить за решетку. Я думаю, у Кудряша здесь хватает прихвостней. Ранчо, где полно мужиков, не место для молодой женщины, особенно такой, как эта.

— Ежели хочешь, — сказал Уит, — поедем завтра вечером с нами в город.

— А на кой шут? Чего там делать?

— Обыкновенно. Пойдем к старухе Сюзи. Веселое местечко. Сама старушенция такая потешная — всегда отмочит какую-нибудь шутку. Вот, скажем, в прошлую субботу пришли мы к ее парадной двери. Сюзи отворяет дверь и кричит: «Девочки, скорей одевайтесь, шериф приехал!» Но ни одного скверного слова, ни-ни. У нее там пять девочек.

— А во сколько это обходится? — спросил Джордж.

— Два с половиной доллара. И порция виски — еще двадцать центов. У Сюзи есть удобные кресла, можно посидеть, отдохнуть. Ежели не хочешь ничего другого, можешь просто посидеть в креслах, пропустить стаканчик-другой и приятно провести время. Сюзи никогда не против. Она не шпыняет гостей и не выставляет их за дверь, ежели они не хотят девушки.

— Надо будет сходить с вами, поглядеть, — сказал Джордж.

— Конечно, пойдем. Можно хорошо поразвлечься — одни шуточки ее чего стоят. Как это она сказала один раз: «Я, говорит, знаю людей, которые на полу тряпичный ковер расстелили да лампу с абажуром поставили возле граммофона и думают, будто у них настоящий салон». Это она про Клару. А еще она говорит: «Я знаю, чего вам, ребята, надобно, говорит. Мои девочки чистые, говорит, и виски я не разбавляю водой. А ежели кто из вас желает поглядеть на лампу с абажуром да обжечь крылышки, так вы дорогу знаете». И еще она говорит: «Некоторые стали кривоногими, потому что больно уж любят глядеть на лампу с абажуром».

— У Клары, стало быть, другой такой же дом, так, что ли? — спросил Джордж.

— Известное дело, — ответил Уит. — Но мы туда не ходим. Клара берет три доллара за девочку и тридцать пять центов за виски. Но шутить так ловко она не умеет. А у Сюзи чистота и удобные кресла, и она не пущает к себе всяких проходимцев.

— Нам с Ленни надобно деньжат скопить, — сказал Джордж. — Я мог бы пойти с вами, посидеть там и выпить, но отдать два с половиной доллара никак не могу.

— Ну, надо же человеку развлечься хоть иногда, — сказал Уит.

Дверь отворилась, и вошли Ленни с Карлсоном. Ленни прокрался к своей койке и сел, стараясь не привлекать к себе внимания. Карлсон полез под койку и вытащил оттуда мешок. Он не смотрел на старика Плюма, который все еще лежал, отвернувшись к стене. Карлсон нашарил в мешке шомпол и баночку с ружейным маслом. Он положил их на койку, взял револьвер, вынул затвор и вытряхнул гильзу из ствола. Потом стал чистить ствол шомполом. Когда затвор щелкнул, Плюм повернулся и посмотрел на револьвер, потом снова отвернулся к стене.

— Кудряш сюда не заходил? — спросил Карлсон как бы невзначай.

— Нет, — ответил Уит. — А что?

Карлсон посмотрел ствол на свет.

— Ищет свою красулю. Я видел, как он рыскал вокруг барака.

— Он всегда полдня ее ищет, — сказал Уит с насмешкой. — А вторые полдня она ищет его.

В этот миг в комнату ворвался Кудряш.

— Она сюда не заходила, — сказал Уит.

Кудряш грозно оглядел комнату.

— А где Рослый?

— На конюшню ушел, — сказал Джордж. — Ему надо замазать смолой копыто мулу.

Кудряш сразу съежился.

— И давно он ушел?

— Минут десять.

Кудряш выскочил за дверь и побежал к конюшне.

Уит встал.

– Пойти, что ли, поглядеть, — сказал он. — Кудряш нарывается на драку, иначе он не побежал бы туда. А ведь он ловкий как черт. Выступал в финале за «Золотую перчатку». У него есть вырезки из газет. — Уит подумал немного. — Но все равно, лучше ему оставить Рослого в покое. От Рослого всего можно ждать.

— Он думает, что Рослый сейчас с его супружницей, так, что ли? — спросил Джордж.

— Похоже на то, — сказал Уит. — Но это, конечно, ерунда. Меньше всего я думаю, что Рослый станет с ней путаться. Но я хочу поглядеть на драку, ежели до нее дойдет. Пошли вместе.

— Нет уж, я здесь останусь, — сказал Джордж. — Не хочу ни во что впутываться. Нам с Ленни надо скопить деньжат.

Карлсон вычистил револьвер, положил его в мешок и засунул мешок под койку.

— Пожалуй, пойду и я погляжу, — сказал он.

Старик Плюм лежал не шевелясь, а Ленни с опаской поглядывал на Джорджа со своей койки.

Когда Уит и Карлсон ушли и дверь за ними закрылась, Джордж повернулся к Ленни.

— Ты что от меня скрываешь?

— Я ничего не сделал, Джордж. Рослый говорит, что лучше не гладить щенков так долго сразу. Рослый говорит, им это вредно. Вот я и ушел сюда. Я хорошо себя вел, Джордж?

— Что ж, пожалуй, — сказал Джордж.

— Я не делал им больно. Я только посадил своего щенка на колени и гладил его.

— А ты видел Рослого в конюшне? — спросил Джордж.

— Ну да, видел. Он сказал, чтоб я лучше не гладил больше щенка.

— А женщину ты видал?

— Супружницу Кудряша?

— Да. Она приходила в конюшню?

— Нет. Ее я не видал.

— И не видал, чтоб Рослый с ней разговаривал?

— Не. Ведь ее там не было.

— Ладно, — сказал Джордж. — Я думаю, ребята не допустят драки. А если будет драка, Ленни, ты держись в стороне.

— Я не хочу драться, — сказал Ленни.

Он встал с койки и сел к столу напротив Джорджа. Джордж по привычке стасовал карты и стал раскладывать пасьянс. Он делал это старательно, задумчиво, не спеша.

Ленни взял одну карту и стал ее рассматривать, потом перевернул и снова стал рассматривать.

— Так и так одинаково выходит, — сказал он. — Джордж, почему так и так одинаково?

— Не знаю, — сказал Джордж. — Так уж их рисуют. А что Рослый делал в конюшне?

— Рослый?

— Ну да. Ты ведь видел его в конюшне, и он не велел тебе больше гладить щенков.

— А-а. Он принес банку со смолой и кисть. Не знаю зачем.

— И ты уверен, что эта женщина не приходила в конюшню, как, к примеру, нынче сюда?

— Уверен.

Джордж вздохнул.

— Нет, уж лучше бардак, — сказал он. — Туда можно пойти, выпить, получить все, что требуется, безо всякого шума. И заранее известно, во сколько это влетит. А такие шкуры до добра не доведут.

Ленни внимательно слушал его и тихонько шевелил губами, повторяя про себя каждое слово. Джордж продолжал:

— Помнишь Энди Кашмена, Ленни? Он с нами в школе учился.

— И его мать еще пекла для детей пирожки? — спросил Ленни.

— Во-во. Он самый. Ты всегда запоминаешь, когда речь об жратве. — Джордж внимательно разглядывал карты. Он положил на грифельную доску туза, а сверху — двойку, тройку и четверку бубен. — Энди сейчас в Сент-Квентинской тюрьме, а все из-за бабы, — сказал он.

Ленни забарабанил пальцами по столу.

— Джордж.

— Ну чего тебе?

— Джордж, а скоро у нас будет маленькое ранчо и мы будем сами себе хозяева?.. И... заведем кроликов?

— Понятия не имею, — сказал Джордж. — Надо скопить деньжат. Я знаю ранчо, которое можно купить задешево, но даром ведь его не отдадут.

Старик Плюм медленно повернулся на койке. Глаза его были широко раскрыты. Он пристально посмотрел на Джорджа.

Ленни попросил:

— Расскажи мне про это ранчо, Джордж.

— Да ведь я только вчера рассказывал.

— Ну расскажи... расскажи еще, Джордж.

— Так вот... там десять акров земли, — сказал Джордж. — Есть ветряная мельница. Маленький домик и курятник. А еще кухня, садик, и в нем растут вишни, яблоки, персики, орехи да всякая ягода. Есть место, где посеять люцерну, и много воды для полива. Есть свинарник...

— И кролики, Джордж!

— Крольчатника покуда нету, но нетрудно сделать несколько клеток, а кормить их ты можешь люцерной.

— Могу, конечно, могу! — подхватил Ленни. — Видит Бог, могу!

Джордж перестал раскладывать пасьянс. Голос его постепенно теплел.

— А еще мы можем завести свиней. Я построю коптильню, вроде той, какая была у моего деда, и мы как заколем свинью, станем коптить сало и окорока, делать ветчину. А когда по реке поднимутся лососи, мы будем ловить их сотнями и засаливать или коптить. Будем есть их на завтрак. Нет ничего вкуснее копченой лососины. Когда будут поспевать фрукты, мы станем заготовлять их впрок, и помидоры тоже, это очень легко. На воскресенье зарежем куренка или кролика. Может, заведем корову или козу, и у нас будут такие густые сливки, что их придется резать ножом и есть ложкой.

Ленни глядел на Джорджа, широко раскрыв глаза, и старик Плюм тоже глядел на него. Потом Ленни сказал тихо:

— Мы будем сами себе хозяева.

— А как же, — сказал Джордж. — У нас будут на огороде всякие овощи, а ежели захотим выпить виски, продадим десяток-другой яиц, или немного молока, или еще чего-нибудь. Будем себе жить там, на своем ранчо. Не придется нам больше мыкаться и жрать стряпню какого-нибудь япошки. Врешь, брат, у нас свой дом есть, нам незачем спать в бараке.

— Расскажи про дом, Джордж, — попросил Ленни.

— Ну, само собой, у нас будет свой домик, и в нем удобная спальня. Пузатая железная печурка, зимой в ней завсегда будет гореть огонь. Земли на ранчо немного, так что спину гнуть особо не придется. Ну, разве что часов по шесть или семь в день. Не надо будет по одиннадцати часов ссыпать ячмень. Когда поспеет урожай, мы его снимем. И всегда будем знать, ради чего работали.

— А еще кролики, — сказал Ленни нетерпеливо. — Я буду их кормить. Расскажи про это, Джордж.

— Очень просто — пойдешь с мешком, накосишь люцерны. Набьешь мешок, принесешь люцерну и положишь кроликам в клетки.

— А они будут грызть! — сказал Ленни. — Я видел, как кролики грызут.

— Каждые полтора месяца, — продолжал Джордж, — они станут приносить приплод, так что нам хватит и для еды, и на продажу. А еще заведем голубей, они будут летать вокруг мельницы, как у нас во дворе, когда я был ребенком. — Он мечтательно поглядел на стену поверх головы Ленни. — И все это будет наше, никто нас не выгонит. А если нам самим кто не понравится, мы скажем: «Скатертью дорога!» — и, ей-ей, он вынужден будет убраться. А если придет друг, что ж, у нас завсегда найдется свободная койка, и мы скажем ему: «Отчего бы тебе у нас не заночевать?» — и, ей-ей, он заночует. У нас будут собака, сеттер, и две полосатые кошки, но придется следить, чтоб они не таскали крольчат.

Ленни взволнованно засопел.

— Пущай только попробуют. Я им все кости переломаю... я... я их палкой.

И он забормотал что-то себе под нос, угрожая несуществующим кошкам, ежели они посмеют тронуть несуществующих кроликов.

Джордж сидел, завороженный собственной выдумкой.

И когда Плюм вдруг заговорил, оба вскочили, словно их поймали с поличным. Плюм спросил:

— А у тебя и впрямь есть на примете такое ранчо?

Джордж насторожился.

— Ну, положим, есть, — ответил он. — А тебе-то что?

— Я не спрашиваю, где оно. Это не важно.

— Само собой, — сказал Джордж. — Уж будь спокоен... Тебе его и за сто лет не найти.

— А сколько надобно уплатить?!

Джордж подозрительно взглянул на старика.

— Ну... можно бы сторговаться за шесть сотен. Старики хозяева совсем на мели, старуха больна, придется ее оперировать. Но тебе-то что до этого? Мы сами по себе, наши дела тебя не касаемы.

Плюм сказал:

— Оно конечно, я однорукий, от меня пользы мало. Одной руки я лишился здесь, на этом вот самом ранчо. Потому меня и держат тут уборщиком. И уплатили двести пятьдесят за руку. Да еще пятьдесят у меня накоплено, в банке лежат, готовенькие. Вот вам уже триста, а еще пятьдесят я получу в конце месяца. И я вам скажу... — Он всем телом подался вперед. — Может, возьмете меня? Моя доля — триста пятьдесят долларов. Само собой, пользы от меня немного, но я могу стряпать, смотреть за курями да копаться в огороде. Ну, как?

Джордж прищурился.

— Надобно подумать. Мы хотели купить ранчо только вдвоем...

Плюм его перебил:

— Я напишу завещание и, когда помру, оставлю свою долю вам, потому как родичей у меня давным-давно нету. У вас, ребята, есть деньги? Может, купим это ранчо прямо сейчас?

Джордж с досадой сплюнул себе под ноги.

— У нас на двоих всего-то навсего десять долларов. — Потом добавил задумчиво: — Послушай, если мы с Ленни проработаем месяц и не потратим ни цента, у нас накопится сотня долларов. Вот уже четыреста пятьдесят. За эти деньги наличными они нам наверняка уступят ранчо, остальное потом. Вы с Ленни устроитесь там и возьметесь за дело, а я подыщу себе место и заработаю остальное. А вы покудова будете продавать яйца, ну и прочее.

Все умолкли. Они смотрели друг на друга с удивлением. Они никогда не верили, что такое может сбыться. И Джордж сказал, едва дыша:

— Господи Боже! Я уверен, что они уступят. — Он был ошеломлен. — Я уверен, что они уступят, — повторил он тихо.

Плюм сел на край койки. От волнения он поскреб ногтем свою культю.

— Меня искалечило четыре года назад, — сказал он. — Скоро меня отсюдова прогонят, вышвырнут вон, как только я не смогу подметать барак. Может, ежели я отдам вам, ребята, свои деньги, вы позволите мне копаться в саду, даже когда толку от меня никакого не будет, и я стану мыть посуду, и смотреть за курями. Ведь я буду жить дома и работать дома, — сказал он с тоской. — Вы видели, чего они сделали нынче с моей собакой? Сказали, что от нее никому никакого прока, да сама она себе в тягость. Когда меня выгонят, лучше бы кто меня пристрелил. Но этого они не сделают. Мне некуда будет идти, и я нигде не найду работы. До тех пор, пока вы, ребята, соберетесь купить ранчо, я получу еще тридцать долларов.

Джордж встал.

— Мы это сделаем, — сказал он. — Купим ранчо и будем там жить.

Он снова сел.

Теперь все сидели недвижно, завороженные этой заманчивой картиной, и мысли их уносились в будущее, к тем дням, когда все это свершится на деле.

Джордж сказал задумчиво:

— А когда в городе будет праздник, или бейсбольный матч, или приедет цирк, или еще чего... — Старик Плюм одобрительно кивнул. — Мы беспременно пойдем туда, — сказал Джордж. — Ни у кого не станем спрашиваться. Просто скажем: «Ну, двинули», — и двинем. Подоим корову, подбросим зерна курям и двинем.

— Но сперва зададим кроликам люцерны, — подхватил Ленни. — Я не позабуду их накормить. А когда это будет, Джордж?

— Через месяц. Обожди всего-навсего месяц. Знаешь, чего я сделаю? Напишу этим старикам, хозяевам ранчо, что мы его покупаем. А Плюм пошлет сотнягу в задаток.

— Само собой, — сказал Плюм. — А печь там хорошая?

— Известное дело, печь прекрасная, можно топить хоть углем, хоть дровами.

— Щенка я тоже возьму, — сказал Ленни. — Ей-ей, ему там понравится.

Джордж прищурил глаза.

Снаружи послышались голоса. Джордж быстро сказал:

— Но смотрите — молчок, никому ни слова. Только мы трое будем знать, больше никто. А то нас выгонят, и мы ничего не заработаем. Будем делать вид, будто собираемся всю жизнь ссыпать зерно в мешки, а потом, в один прекрасный день, возьмем свои денежки — и до свиданья.

Ленни и Плюм кивнули, радостно улыбаясь.

— Смотри же, молчок, никому ни слова, — сказал сам себе Ленни.

— Джордж, — сказал Плюм.

— Ну, чего тебе еще?

— Я должен был сам пристрелить свою собаку, Джордж. Не надобно было позволять чужому пристрелить эту бедную собачку.

Дверь отворилась. Вошел Рослый, за ним Кудряш, Карлсон и Уит. У Рослого руки были в смоле, и он хмурился. Кудряш шел за ним по пятам.

— Я не хотел тебя обидеть, Рослый. Я просто так спросил, — сказал Кудряш.

— Что-то ты уж больно часто об этом спрашиваешь, — отозвался Рослый. — Мне это давно уж осточертело. Ежели не можешь уследить за своей вертихвосткой, чего ж ты от меня-то хочешь? Оставь-ка лучше меня в покое.

— Я ж говорю тебе, что это я только так спросил, — сказал Кудряш. — Просто подумал, может, ты ее видел.

— Какого хрена ты не велишь ей сидеть дома, как положено? — спросил Карлсон. — Позволяешь ей шляться по баракам. Глядишь, она поднесет тебе подарочек, тогда поздно будет.

Кудряш круто повернулся к Карлсону.

— А ты не лезь не в свое дело, не то я тебя живо за дверь вышвырну.

Карлсон рассмеялся.

— Эх ты, молокосос несчастный, — сказал он. — Хотел запугать Рослого, и ни хрена у тебя не вышло. Он сам тебя запугал. Вон ты весь пожелтел, как лягушачье брюхо. Мне начхать, что ты лучший боксер в округе. Попробуй меня хоть пальцем тронуть, я из тебя дух вышибу.

Плюм тут же его поддержал.

— Эхма, рукавица вазелиновая, — сказал он презрительно.

Кудряш сверкнул на него глазами. Потом его взгляд скользнул в сторону и остановился на Ленни; а Ленни все еще радостно улыбался, думая о ранчо.

Кудряш, как собачонка, набросился на Ленни:

— Ну а ты какого хрена смеешься?

Ленни взглянул на него растерянно.

— Чего?

И тут Кудряш взорвался:

— Эй ты, дубина стоеросовая! Встать! Я никому не позволю надо мной надсмехаться! Я покажу, кто пожелтел со страху.

Ленни беспомощно поглядел на Джорджа, потом встал, намереваясь уйти. Но Кудряш не зевал. Он врезал Ленни левой, а потом сильным ударом правой расквасил ему нос. Ленни испуганно завопил. Из носа у него текла кровь.

— Джордж! — завопил Ленни. — Скажи, чтоб он отстал от меня, Джордж!

Он пятился до тех пор, покуда не уперся спиной в стену, а Кудряш наседал на него и бил по лицу. Руки Ленни беспомощно висели, как плети. Он был слишком перепуган, чтоб защищаться.

Джордж вскочил и крикнул:

— Дай ему, Ленни! Не позволяй себя бить!

Ленни прикрыл лицо ручищами и взвизгнул от страха. Он крикнул:

— Скажи, чтоб он перестал, Джордж!

Тут Кудряш ударил Ленни под ложечку, и у того перехватило дыхание.

Рослый вскочил.

— Скот вонючий! — крикнул он. — Я сам с ним сейчас разделаюсь.

Джордж схватил Рослого за плечо.

— Обожди! — крикнул он. Потом приложил руки ко рту рупором: — Дай ему, Ленни.

Ленни отнял ладони от лица и поглядел на Джорджа, а Кудряш тем временем ударил его в глаз. Широкое лицо Ленни было залито кровью. Джордж крикнул снова:

— Дай ему, тебе говорят!

Кудряш снова занес кулак, но тут Ленни схватил его за руку. И Кудряш сразу затрепыхался, как рыба на крючке, кулак его исчез в огромной ручище Ленни. Джордж подбежал к нему через весь барак.

— А теперь отпусти его, Ленни. Отпусти...

Но Ленни лишь смотрел со страхом на трепыхающегося человечка. Кровь текла у него по лицу, глаз был подбит. Джордж влепил ему пощечину, потом другую, но Ленни все не разжимал руку. Кудряш весь побелел и скрючился. Он трепыхался все слабее, но отчаянно вопил — кулак его по-прежнему был зажат в руке Ленни. А Джордж все кричал:

— Отпусти его, Ленни! Отпусти! Рослый, да помоги же, не то он вовсе без руки останется.

Вдруг Ленни разжал пальцы. Он присел у стены на корточки, чтоб быть как можно незаметнее.

— Ты сам мне велел, Джордж, — сказал он жалобно.

Кудряш сел на пол, с удивлением глядя на свою изувеченную руку. Рослый и Карлсон наклонились над ним. Потом Рослый выпрямился и с опаской взглянул на Ленни.

— Надобно свезти Кудряша к доктору, — сказал он. — Похоже, кости переломаны.

— Я не хотел! — крикнул Ленни. — Я не хотел сделать ему больно!

Рослый распорядился:

— Карлсон, запрягай лошадей. Надобно свезти Кудряша в Соледад, там вылечат.

Карлсон выбежал на двор. Рослый повернулся к скулящему Ленни.

— Ты не виноват, — сказал он. — Этот сопляк сам полез на рожон. Но Боже мой! Он и вправду чуть не остался без руки.

Рослый поспешно вышел и тут же вернулся с жестянкой воды. Он дал Кудряшу попить.

Джордж сказал:

— Ну что, Рослый, теперь нас беспременно выгонят? А ведь нам деньги позарез нужны. Как думаешь, выгонит нас папаша Кудряша?

Рослый криво усмехнулся. Он опустился на колени подле пострадавшего.

— Ты еще соображаешь настолько, чтоб меня выслушать? — спросил он. Кудряш кивнул. — Так слушай же, — продолжал Рослый. — Рука у тебя попала в машину. Ежели ты никому не скажешь, как дело было, мы тоже не скажем. А ежели скажешь и станешь требовать, чтоб этого малого выгнали, мы всем расскажем, и над тобой будут смеяться.

— Я не скажу, — простонал Кудряш. Он старательно избегал смотреть на Ленни.

Снаружи затарахтели колеса, Рослый помог Кудряшу встать.

— Ну, пошли. Сейчас Карлсон свезет тебя к доктору.

Он вывел Кудряша за дверь. Тарахтение колес замерло вдали. Рослый вернулся в барак. Он поглядел на Ленни, который в страхе все еще жался к стене.

— Покажи-ка мне ладони, — сказал он.

Ленни вытянул руки.

— Боже праведный, не хотел бы я, чтоб ты на меня осерчал, — сказал Рослый.

Тут в разговор вмешался Джордж.

— Ленни просто испугался, — объяснил он. — Не знал, чего делать. Я всем говорил, что его нельзя трогать. Или нет, кажется, я это говорил Плюму.

Плюм кивнул с серьезным видом.

— Да, говорил, — сказал он. — Нынче же утром, когда Кудряш в первый раз напустился на твоего друга, ты сказал: «Лучше пусть не трогает Ленни, ежели он сам себе не враг». Так и сказал.

Джордж повернулся к Ленни.

— Ты не виноват, — сказал он. — Не бойся. Ты сделал то, что я тебе велел. Иди-ка вымой лицо. А то бог знает на кого похож.

Ленни скривил в улыбке разбитые губы.

— Я не хотел ничего такого, — сказал он.

Он пошел к двери, но, не дойдя до нее, обернулся.

— Джордж.

— Чего тебе?

— Ты позволишь мне кормить кроликов, Джордж?

— Само собой. Ведь ты ничего плохого не сделал.

— Я не хотел ничего плохого, — сказал Ленни.

— Ну ладно. Ступай умойся.

IV

Конюх Горбун жил при конюшне, в клетушке, где хранилась всякая упряжь. В одной стене этой клетушки было квадратное, с четырьмя маленькими стеклами оконце, в другой — узкая дощатая дверь, которая вела в конюшню. Кроватью служил длинный ящик, набитый соломой и прикрытый сверху одеялами. У окошка были вколочены гвозди, на них висела рваная сбруя, которую Горбун должен был чинить, и полосы новой кожи; под окошком стояла низенькая скамеечка, на ней — шорный инструмент, кривые ножи, иглы, мотки шпагата и маленький клепальный станок. По стенам тоже была развешана упряжь — порванный хомут, из которого торчал конский волос, сломанный крюк от хомута и лопнувшая постромка. На койке стоял ящичек, в котором Горбун держал пузырьки с лекарствами для себя и для лошадей. Здесь были коробки с дегтярным мылом и прохудившаяся жестянка со смолой, из которой торчала кисть. По полу валялись всякие пожитки;

в своей каморке Горбун мог не прятать вещи, а поскольку он был калека, служил конюхом и жил здесь уже давно, он накопил больше добра, чем мог бы снести на себе.

У Горбуна было несколько пар башмаков, пара резиновых сапог, большой будильник и старый одноствольный дробовик. А еще у него были книги: истрепанный словарь и рваный томик гражданского кодекса Калифорнии 1905 года издания. Были у него старые журналы, и на специальной полке над койкой стояли еще какие-то книги. Большие очки в золоченой оправе висели рядом на гвозде.

Комната была чисто подметена. Горбун был гордый, независимый человек. Он сторонился людей и держал их от себя на почтительном расстоянии. Из-за горба все тело у него было перекошено в левую сторону; блестящие, глубоко посаженные глаза смотрели пристально и остро. Худое черное лицо избороздили глубокие морщины; губы тонкие, горестно сжатые, были светлее кожи на лице.

Уже наступил субботний вечер. За отворенной дверью, которая вела в конюшню, слышались удары копыт, хруст сена, позвякивание цепочек.

Маленькая электрическая лампочка скупо освещала комнату желтоватым светом.

Горбун сидел на своей койке. В одной руке он держал склянку с жидковатой мазью, а другой, задрав на спине рубашку, натирал себе хребет. Время от времени он выливал несколько капель мази на розоватую ладонь, потом лез рукой под рубашку и тер спину. Он поеживался и вздрагивал.

В открытой двери бесшумно появился Ленни и остановился, озираясь. Его широкая фигура совсем заслонила дверной проем. Сперва Горбун этого не заметил, потом, подняв голову, сердито уставился на незваного гостя. Он высвободил руку из-под рубашки.

Ленни робко и дружелюбно улыбнулся.

Горбун сказал сердито:

— Ты не имеешь права сюда входить. Это моя комната. Никто, кроме меня, не смеет сюда входить.

Ленни проглотил слюну, и улыбка его стала еще более заискивающей.

— Я ничего. Просто пришел поглядеть своего щенка. И увидал здесь свет, — объяснил он.

— Я имею полное право зажигать свет. Уходи из моей комнаты. Меня не пускают в барак, а я никого не пускаю сюда.

— Но почему же вас не пускают? — спросил Ленни.

— Потому что я негр. Они там играют в карты, а мне нельзя, потому что я негр. Они говорят, что от меня воняет. Так вот что я тебе скажу: по мне, от вас всех воняет еще пуще.

Ленни беспомощно развел ручищами.

— Все уехали в город, — сказал он. — И Рослый, и Джордж — все. Джордж велел мне оставаться здесь и вести себя хорошо. А я увидал свет...

— Ну ладно, тебе чего надо?

— Ничего... Просто я увидал свет. И подумал, что мне можно зайти и посидеть.

Горбун поглядел на Ленни, протянул руку, снял с гвоздя очки, нацепил на нос и снова поглядел на Ленни.

— Никак не пойму, чего тебе надо здесь, в конюшне, — сказал он с недоумением. — Ты не возчик. А тем, кто ссыпает зерно в мешки, незачем сюда и заходить. На что тебе сдались лошади?

— Щенок, — снова объяснил Ленни. — Я пришел поглядеть щенка.

— Ну и гляди щенка. Да не суйся куда тебя не просят.

Улыбка исчезла с лица Ленни. Он перешагнул порог, потом сообразил, что ему говорят, и снова попятился к двери.

— Я уже поглядел. Рослый сказал, чтоб я не гладил его долго.

— Ты все время вынимал его из ящика, — сказал Горбун. — Удивительно, как это сука не перенесла их куда-нибудь в другое место.

— Ну, она смирная. Позволяет мне его брать.

Ленни снова вошел в дверь.

Горбун нахмурился, но улыбка Ленни его обезоружила.

— Ладно уж, заходи да посиди со мной малость, — сказал Горбун. — Уж ежели ты не хочешь уйти и оставить меня в покое, так и быть, сиди здесь. — Тон его стал дружелюбней. — Стало быть, все уехали в город?

— Все, кроме старика Плюма. Он сидит в бараке, чинит карандаш и все подсчитывает.

Горбун поправил очки.

— Подсчитывает? Что же это Плюм подсчитывает?

— Кроликов! — почти закричал Ленни.

— Ты вконец спятил. Каких таких кроликов?

— Кроликов, которые у нас будут, и я стану кормить их, косить для них траву и носить воду.

— Ты спятил, — повторил Горбун. — Зря тот, второй, с которым ты пришел, оставляет тебя без присмотра.

Ленни сказал тихо:

— Это правда. Мы это сделаем. Купим маленькое ранчо и будем сами себе хозяева.

Горбун поудобнее устроился на койке.

— Садись, — сказал он. — Вот сюда, на бочонок из-под гвоздей.

Ленни, скрючившись, сел на низкий бочонок.

— Вы мне не верите, — сказал Ленни. — Но это правда. Чистая правда, спросите у Джорджа.

Горбун подпер розоватой ладонью черный подбородок.

— Ты живешь вместе с Джорджем, да?

— Известное дело. Мы с ним всегда вместе.

— Иногда он говорит, а ты не можешь взять в толк, об чем это он, — продолжал Горбун. — Так, что ли? — Он наклонился вперед, вперив в Ленни свой острый взгляд. — Ведь так?

— Да... иногда.

— Он говорит, а ты в толк не можешь взять об чем?

— Да... иногда... Но не всегда...

Горбун еще больше наклонился вперед, сдвинувшись на край койки.

— А я не с Юга родом, — сказал он. — Родился здесь, в Калифорнии. У моего отца было ранчо — акров десять земли, он там курей разводил. К нам иногда приходили белые дети, и я играл с ними. Среди них были и добрые. Моему старику это не нравилось. Я только потом, через много лет, смекнул почему. Но теперь-то я знаю. — Он замолчал в нерешительности, а когда снова заговорил, голос его зазвучал мягче. — На много миль вокруг нашего ранчо не было другой негритянской семьи. И здесь, на этом ранчо, кроме меня, нету ни одного негра, и в Соледаде только одна семья. — Он засмеялся. — И ежели я чего говорю, невелика важность — мало ли чего черномазый наговорит.

— А как вы думаете, — спросил Ленни, — скоро щенков можно будет гладить?

Горбун снова засмеялся.

— Когда с тобой разговариваешь, можно быть уверенным, что ты не разболтаешь. Так вот, пройдет недели две — и щенки подрастут. А Джордж себе на уме. Говорит, а ты ничегошеньки не понимаешь. — В волнении он подался вперед. — Тебе все это черномазый толкует, черномазый горбун. На это нечего и внимания обращать, понял? Да уж ладно, ты все одно ничего не запомнишь. Я видел такое многое множество раз, даже счет потерял — один разговаривает с другим, и ему все едино, слышит ли тот, понимает ли. И так всегда, разговаривают ли они или же сидят молча. Это все едино, все едино. — Мало-помалу придя в волнение, он хлопнул себя по колену. — Джордж может болтать тебе всякую чепуху, все, что угодно. Ему важно лишь, что есть с кем поговорить. Просто надобно, чтоб кто-то был рядом. Только и делов.

Он замолчал. Потом заговорил тихо и уверенно:

— А что, ежели Джордж не приедет? Ежели он забрал свои пожитки и больше никогда не вернется? Что тогда?

Наконец смысл его слов дошел до Ленни.

— Как это так? — спросил он.

— Я спрашиваю: а что, ежели Джордж уехал нынче в город, а там — поминай как звали? — Горбун, казалось, торжествовал. — Что тогда? — повторил он.

— Он этого не сделает! — крикнул Ленни. — Джордж нипочем этого не сделает! Мы с ним давно вместе. Он вернется... — Но сомнения уже начали его одолевать. — А вы думаете — он может не вернуться?

Горбун усмехнулся, злорадствуя над его отчаяньем.

— Никто не знает наперед, чего человек может сделать, — сказал он невозмутимо. — Иной раз он, положим, и хотел бы вернуться, да не его воля. Вдруг его убьют или ранят, тогда уж он никак не сможет вернуться.

Ленни мучительно пытался понять его слова.

— Джордж этого не сделает, — повторил он. — Джордж осторожный. Его не ранят. Его ни разу не ранили, потому как он очень осторожный.

— Ну а вдруг, вдруг он не вернется. Что ты тогда будешь делать?

Лицо Ленни исказилось от напряжения.

— Не знаю. А вы чего! — крикнул он. — Это неправда! Джорджа не ранили.

Горбун пристально поглядел на Ленни.

— Хочешь, я скажу тебе, чего тогда будет? Тебя схватят и упекут в дурдом. Наденут на тебя ошейник, как на собаку.

Глаза Ленни вдруг помутились, в них сквозила ярость. Он встал и грозно шагнул к Горбуну.

— Кто это ранил Джорджа? — спросил он.

Горбун сразу осознал опасность. Он отодвинулся.

— Я просто так говорю — а вдруг его ранили, — сказал он. — Джорджа никто не трогал. Он цел и невредим. Он вернется.

Ленни стоял над Горбуном.

— Зачем тогда говорить — а вдруг? Никто не смеет говорить, что тронет Джорджа.

Горбун снял очки и потер ладонью глаза.

— Садись, — сказал он. — Джорджа никто не трогал.

Ленни с ворчанием снова уселся на бочонок.

— Никто не смеет говорить, что тронет Джорджа, — повторил он.

Горбун сказал терпеливо:

— Может, теперь ты наконец сообразишь самую малость. У тебя есть Джордж. Ты знаешь, что он вернется. Ну а ежели предположить, что у тебя никого нету. Предположим, ты не можешь пойти в барак и сыграть в карты, потому что ты негр. Как бы тебе это понравилось? Предположим, тебе пришлось бы сидеть здесь и читать книжки. Само собой, покуда не стемнеет, ты мог бы играть в подкову, но потом пришлось бы читать книжки. Только книжки не помогают. Человеку надобно, чтоб кто-то живой был рядом. — Голос Горбуна звучал жалобно. — Можно сойти с ума, ежели у тебя никого нету. Пускай хоть кто-нибудь, лишь бы был рядом. Я тебе говорю! — крикнул он. — Я тебе говорю: жить в одиночестве очень тяжко!

— Джордж вернется, — испуганно уговаривал Ленни сам себя. — Может, он уже вернулся. Пойду погляжу.

Горбун сказал:

— Я не хотел тебя стращать. Он вернется. Это я про себя говорил. Сидишь тут один по вечерам, читаешь книжки, или думаешь, или еще чем займешься. Иногда думаешь вот так, один-одинешенек, и некому тебе сказать, что правильно, а что нет. Или увидишь чего, но знать не знаешь, так это или не так. И нельзя обратиться к другому человеку да спросить, видит ли он то же самое. Ничего не поймешь. И объяснить некому. Я здесь много чего перевидал. И не был пьян. Но я не знаю, может, это мне во сне приснилось. Ежели б рядом со мной был кто-нибудь, он сказал бы мне, спал я или нет, и тогда все стало бы ясно. А так я просто ничего не знаю.

Горбун смотрел в окно.

Ленни сказал с тоской:

— Джордж меня не бросит. Я знаю, Джордж этого не сделает.

Горбун продолжал задумчиво:

— Помню, как я еще ребенком жил у своего старика на ранчо, где он курей разводил.

У меня были два брата. Мы никогда не расставались, никогда. Спали в одной комнате, на одной кровати — все трое. А в саду у нас клубника росла, и был луг, а на нем люцерна. Помню, в погожее утро мы чуть свет выпускали курей на этот самый луг. Мои братья садились верхом на загородку и присматривали за ними, а куры все до единой были белые.

Постепенно Ленни заинтересовался.

— Джордж говорит, что у нас будет люцерна для кроликов.

— Для каких кроликов?

— У нас будут кролики и ягоды.

— Ты спятил.

— Будут. Спросите сами у Джорджа.

— Ты спятил, — снова сказал Горбун с презрением. — Я видывал, как сотни людей приходили на ранчо с мешками, и головы у них были набиты таким же вздором. Их были сотни. Они приходили и уходили, и каждый мечтал о клочке собственной земли. И ни хрена у них не вышло. Ни хрена. Всякий хочет иметь свой клочок земли. Я здесь много книжек перечитал. Никому не попасть на небо, и никому не видать своей земли. Все это одно только мечтанье. Люди беспрерывно об этом говорят, но это одно только мечтанье.

Он замолчал и поглядел на распахнутую дверь, потому что лошади беспокойно зашевелились и уздечки звякнули. Послышалось ржание.

— Кажется, там кто-то есть, — сказал Горбун. — Может, это Рослый. Иногда он заходит сюда раза два, а то и три за вечер. Рослый — заядлый лошадник. Он очень заботится об своих мулах.

Горбун с трудом встал и подошел к двери.

— Это вы, Рослый? — спросил он.

Отозвался Плюм:

— Рослый в город уехал. Скажи, ты, случаем, не видал Ленни?

— Это ты про здоровенного малого спрашиваешь?

— Да. Не видал его?

— Он здесь, — бросил Горбун отрывисто. Потом вернулся к своему ложу и лег.

Плюм остановился на пороге, поскреб культю и сощурился от света.

Внутрь он не вошел.

— Слышь, Ленни. Я тут все думал об кроликах...

— Можешь войти, ежели хочешь, — проворчал Горбун.

Плюм как будто даже сконфузился.

— Не знаю, право слово. Само собой, ежели ты позволишь...

— Входи. Уж коли другие входят, стало быть, можно и тебе.

Горбун с трудом скрыл свою радость под сердитой гримасой.

Плюм вошел, все еще конфузясь.

— А у тебя тут уютненько, — сказал он Горбуну. — Наверно, хорошо иметь отдельную комнатенку.

— Ясное дело, — сказал Горбун. — И навозную кучу под окном. Чего уж лучше.

— Говори об кроликах, — вмешался Ленни.

Плюм прислонился к стене подле висевшего на ней рваного хомута и снова поскреб культю.

— Я здесь уже давно, — сказал он. — И Горбун тоже. А ведь я в первый раз в этой клетушке.

— Кто ж заходит в жилище черномазого, — хмуро сказал Горбун. — Сюда никто не заходит, окромя Рослого. Он да еще хозяин, а больше — никто.

Плюм поспешно переменил разговор:

— Рослый — лучший возчик на всем белом свете.

Ленни наклонился к Плюму.

— Говори об кроликах, — потребовал он.

Плюм улыбнулся.

— Я все обмозговал. Ежели как следовает взяться за дело, можно заработать и на кроликах.

— Но я буду их кормить, — перебил его Ленни. — Джордж так сказал. Он обещал мне.

Горбун грубо вмешался в разговор:

— Вы, ребята, просто сами себя морочите. Болтаете чертову пропасть, но все одно своей земли вам не видать. Ты будешь тут уборщиком, Плюм, покуда тебя не вынесут ногами вперед. Эхма, многих я тут перевидал. А Ленни недели через две или три возьмет расчет да уйдет. Эх, всякий только об землице и думает.

Плюм сердито потер щеку.

— Можешь быть уверен, у нас все будет. Джордж так сказал. У нас уже и денежки припасены.

— Да неужто? — спросил Горбун. — А где сейчас Джордж, позвольте полюбопытствовать? В городе, в веселом доме. Вот куда уплывут все ваши денежки. Господи, да я уже видел это множество раз. Немало перевидал я людей, у которых в голове только и мысли что об землице. Но в руки им ничего не доставалось.

— Конечно, все этого хотят! — воскликнул Плюм. — Всякий хочет иметь клочок земли, хоть небольшой, да собственный. И кров над головою, чтоб никто не мог его выгнать, как собаку. У меня сроду ничего такого не было. Я работал чуть не на всех хозяев в этом штате, а урожай доставался не мне. Но теперь у нас будет своя землица, можешь не сумлеваться. Джордж не взял с собой денег. Они лежат в банке. У меня, Ленни и Джорджа будет свой дом. Будут собака, кролики и куры. Будет кукурузное поле и, может, корова или коза.

Он замолчал, увлеченный этой картиной.

— Говоришь, у вас есть деньги? — спросил Горбун.

— Уж будь спокоен. Большая часть есть. Остается раздобыть сущие пустяки. Мы раздобудем их всего за месяц. И Джордж уже присмотрел ранчо.

Горбун ощупал свою спину.

— Никогда не видал, чтоб кто-нибудь в самом деле купил ранчо, — сказал он. — Я видывал людей, которые чуть с ума не сходили от тоски по земле, но всегда веселый дом или игра в карты брали свое. — Он поколебался. — Ежели вы, ребята, захотите иметь дарового работника, только за харчи, я с охотой пойду к вам. Не такой уж я калека, могу работать как зверь, ежели захочу.

— Вы Кудряша не видали, мальчики?

Все трое живо обернулись. В дверь заглядывала жена Кудряша. Лицо ее было ярко нарумянено. Губы слегка приоткрыты. Дышала она тяжело, словно после бега.

— Кудряш сюда не заходил, — сказал Плюм, поморщась.

Она стояла в дверях улыбаясь и потирала пальцами ногти на другой руке. Взгляд ее скользнул по их лицам.

— Они оставили здесь всех немощных и скорбных душой, — сказала она наконец. — Думаете, я не знаю, куда все уехали? И Кудряш тоже. Знаю я, где они сейчас.

Ленни смотрел на нее с восхищением, но Плюм и Горбун хмуро отводили глаза, избегая встречаться с ней взглядом.

Плюм сказал:

— Ну, уж ежели вы все знаете, тогда зачем спрашиваете, где Кудряш?

Она смотрела на них, забавляясь и посмеиваясь.

— Вот умора, — сказала она. — Ежели я застаю которого-нибудь из мужчин одного, мы отлично ладим. Но ежели их двое, они и разговаривать со мной не станут. Знай только злобятся. — Она перестала тереть ногти и уперла руки в бедра. — Вы все боитесь друг друга, вот что. Всякий боится, что остальные против него чего-то замышляют.

Наступило молчание. Потом Горбун сказал:

— Пожалуй, вам лучше уйти домой. Мы не хотим неприятностей.

— А какие вам от меня неприятности? Думаете, мне не хочется хоть иногда поговорить с кем-нибудь? Думаете, охота мне дома сиднем сидеть?

Плюм положил культю на колено и осторожно потер ее ладонью. Он сказал сердито:

— У вас муж есть. Нечего вам тут ходить да закидоны другим мужчинам делать, через это только одни неприятности происходят.

Женщина взбеленилась:

— Ну конечно, у меня есть муж. Вы все его знаете. Хорош, правда? Все время грозит, что расправится с теми, кого не любит, а сам не любит никого. Думаете, мне охота сидеть в этом паршивом домишке и слушать про то, как Кудряш врежет два раза левой, а потом наповал правой? «Врежу ему разок, — говорит, — и он сразу с копыт долой». — Она умолкла, и лицо ее вдруг оживилось. — Скажите, как это у Кудряша рука повредилась?

Последовало неловкое молчание. Плюм украдкой глянул на Ленни. Потом тихонько кашлянул.

— Ну... Кудряш... Рука у него в машину попала. И он поранился.

Она посмотрела на них и засмеялась.

— Враки! Чего вы мне голову-то морочите! Кудряш устроил какую-то заварушку, а расхлебать не сдюжил. Рука в машину попала — враки! Да ведь он никому не врезал с тех пор, как у него рука искалечена. Так кто же искалечил?

Плюм повторил угрюмо:

— Рука в машину попала.

— Ну уж ладно, — сказала она с презрением. — Ладно, прикрывайте его, ежели вам охота. Мне-то что? Вы, бродяги, много об себе воображаете. По-вашему, я ребенок! А ведь я могла уехать отсюдова и играть на сцене. Не раз была у меня такая возможность. Один человек обещал мне, что я буду сниматься в кино. — От волнения она едва перевела дух. — Субботний вечер. Никого нету, все развлекаются кто как может. Все! А я как развлекаюсь? Стою здесь и треплюсь с бродягами — с негром, с дураком и со старым вонючим козлом, да еще радуюсь, потому как окромя них здесь ни души нету.

Ленни глядел на нее разинув рот. Горбун скрылся под своей обычной личиной холодного достоинства. Но старик Плюм вдруг словно преобразился. Он решительно встал и изо всех сил пнул ногой бочонок, на котором сидел.

— Ну, с меня довольно, — сказал он со злостью. — Вас сюда никто не звал. Мы вам сразу так и сказали. И я хочу вам еще сказать, что у вас неправильное понятие об том, кто мы такие. У вас меньше мозгов, чем у курицы, она и то поняла бы, что мы не совсем болваны. Пущай вы нас выгоните. Пущай. Думаете, мы станем бродить по дорогам, снова искать грошовых заработков, вроде как здесь? Вам, поди, и невдомек, что у нас есть собственное ранчо и собственный дом. Нам незачем здесь оставаться. У нас есть дом, и куры, и сад, и там во сто раз лучше, чем здесь. И друзья у нас тоже есть. Может, было время, когда мы боялись, как бы нас не выгнали, но теперича ничуть не боимся. У нас есть свое ранчо, наше собственное, и мы можем туда хоть нынче переехать.

Женщина засмеялась.

— Враки, — сказала она. — Много я вас тут перевидала. Ежели б у вас был хоть грош за душой, вы купили бы на него самогонки и выпили ее до последней капли. Знаю я вас.

Лицо Плюма побагровело, но, прежде чем она умолкла, он кое-как совладал с собой. Теперь он стал хозяином положения.

— Так я и думал, — сказал он невозмутимо. — Пожалуй, вам лучше убраться восвояси. Нам не об чем толковать. Мы свое знаем, и нам плевать, что вы об этом думаете. Так что, стало быть, лучше вам просто-напросто уйти отсюдова. Кудряшу, наверно, не больно-то понравится, что его жена болтает в конюшне с побродягами.

Она переводила взгляд с одного лица на другое, и все они были замкнуты. Дольше всего она смотрела на Ленни, и наконец он в смущении потупился. Вдруг она сказала:

— Откудова у тебя на харе эти ссадины?

Ленни виновато поднял голову.

— У кого... у меня?

— Ну да, у тебя.

Ленни поглядел на Плюма, не зная, что сказать, потом снова потупился.

— У него рука в машину попала, — сказал он.

Женщина расхохоталась.

— Ну ладно. Пущай в машину. Я с тобой еще потолкую. Страсть до чего люблю этакие машины.

— Оставьте его в покое, — сказал Плюм. — Не вздумайте втянуть его в заваруху. Я скажу Джорджу, чего вы тут языком натрепали. Джордж не даст вам втянуть Ленни в заваруху.

— А кто таков этот Джордж? — спросила она Ленни. — Тот маленький, с которым ты пришел вместе?

Ленни весь расплылся в улыбке и ответил:

— Да, он самый. И он обещался, что позволит мне кормить кроликов.

— Ну, ежели тебе только этого и хочется, я сама могу найти пару-другую кроликов.

Горбун встал и повернулся к ней.

— Ну, будет, — сказал он, озлобясь. — Вы не имеете правов входить к черномазому. И не имеете правов подымать здесь шум. А теперича — уходите, да живо. Ежели не уйдете, я попрошу хозяина, чтоб он вовсе запретил вам совать нос в конюшню.

Она презрительно глянула на него.

— Слышишь, ты, черная образина, — сказала она. — Знаешь, чего я могу сделать, ежели ты еще хоть раз пасть разинешь?

Горбун бросил на нее унылый взгляд, потом сел и умолк.

Но она не отступалась.

— А знаешь, чего я могу сделать?

Горбун словно уменьшился в росте и спиной прижался к стене.

— Знаю, госпожа.

— Так памятуй свое место, черномазая образина. Мне так легко сделать, чтоб тебя вздернули на первом же суку, что это даже и не любопытственно.

Горбун вовсе сник. Он стал каким-то незаметным, безликим.

Мгновение женщина глядела на него, будто ждала, не шевельнется ли он, чтоб снова на него напуститься, но Горбун сидел неподвижно, отворотясь, и словно скрылся под личиной безразличия. Наконец она повернулась к двум остальным.

Старик Плюм не сводил с нее глаз.

— Ежели вы это сделаете, мы тоже скажем, — произнес он негромко. — Скажем, что вы врете про Горбуна.

— Ну и хрен с тобой! — закричала она. — Никто не станет тебя слушать, ты сам это знаешь. Никто!

Плюм присмирел.

— Да, — согласился он. — Нас никто не слушает.

— Хочу к Джорджу, — захныкал Ленни. — Хочу к Джорджу.

Плюм подошел к нему вплотную.

— Не бойсь, — сказал он. — Уже слыхать шум, они подъезжают. Джордж сейчас будет в бараке. — Он повернулся к женщине. — А вы шли бы лучше домой, — сказал он спокойно. — Ежели уйдете, мы не скажем Кудряшу, что вы были здесь.

Она смерила его взглядом.

— А почем я знаю, может, ты никакого шуму и не слыхал.

— Зачем же рисковать, — сказал он. — Ежели не знаете, все одно лучше подальше от греха.

Она повернулась к Ленни.

— Я рада, что ты проучил Кудряша. Он сам нарывался. Иногда и мне охота его проучить.

Она проскользнула в дверь и исчезла в темной конюшне. Когда она шла через конюшню, зазвенели уздечки, лошади зафыркали, забили копытами.

Горбун мало-помалу как бы выползал из-под своей личины.

— Это правда, что они подъезжают? — спросил он.

— Само собой. Я же слыхал.

— А я вот ничего не слыхал.

— Хлопнули ворота, — сказал Плюм. — Ну да это не беда, она умеет проскользнуть тихонько. Ей не привыкать стать.

Горбуну не хотелось больше разговаривать про эту женщину.

— Лучше вам уйти, — сказал он. — Я не хочу, чтоб вы тут оставались. Должны же и у цветного быть какие-то права, даже ежели ему от них один вред.

— Эта сука не смела так с тобой говорить, — сказал Плюм.

— Какая разница, — отозвался Горбун равнодушно. — Вы сюда пришли, сидели тут и заставили меня забыть, кто я такой. А ведь она правду сказала.

Лошади в конюшне снова зафыркали, зазвенели уздечки, и послышался громкий оклик:

— Ленни, а Ленни! Ты где?

— Это Джордж! — крикнул Ленни и с живостью отозвался: — Я здесь, Джордж! Здесь!

Через секунду Джордж появился в дверях и недовольно оглядел каморку.

— Чего это ты делаешь у Горбуна? Тебе нельзя здесь быть.

Горбун кивнул.

— Я им говорил, но они все одно вошли.

— Так почему же ты их не выгнал?

— Я не супротив, — сказал Горбун. — Ленни такой славный.

Плюм вдруг встрепенулся.

— Слышь, Джордж! Я уже все обдумал! И даже подсчитал, сколько мы можем заработать на кроликах.

Джордж сердито поглядел на него.

— Я, кажется, предупреждал вас обоих, чтоб вы никому ни слова.

Плюм сразу же оробел.

— Мы и не говорили ни слова никому, кроме Горбуна.

— Ну ладно, пошли отсюда. Господи, на минуту и то нельзя отлучиться.

Плюм с Ленни встали и пошли к двери.

Горбун окликнул старика:

— Плюм!

— Ну, чего тебе?

— Помнишь, что я говорил насчет огорода и всякой работы?

— Да, — сказал Плюм. — Конечно, помню.

— Так вот, забудь про это, — сказал Горбун. — Я пошутил. Я не хочу на ваше ранчо.

— Ладно, дело твое. Спокойной ночи.

Трое мужчин вышли. Когда они проходили через конюшню, зафыркали лошади и зазвенели уздечки.

Некоторое время Горбун сидел на койке и глядел им вслед, потом потянулся за склянкой с мазью. Он задрал рубашку на спине, налил на ладонь немного мази и начал медленно тереть спину.

V

Один конец огромной конюшни был почти до потолка завален свежим сеном, тут же стояли вилы с четырьмя зубьями. Сено высилось горой, полого спускавшейся к другому концу конюшни, и здесь было свободное, не доверху заваленное место. По сторонам тянулись стойла, и между перегородками виднелись лошадиные морды.

Было воскресенье. Лошади отдыхали. Они тыкались мордами в кормушки, били копытами в деревянные перегородки и звенели уздечками. Солнце проглядывало сквозь щели в стене и яркими полосами ложилось на сено. В воздухе летали мухи, лениво жужжа в жаркую послеполуденную пору.

Снаружи раздавался звон подковы о железную стойку и одобрительные или насмешливые крики игроков. А в конюшне было тихо, душно и жужжали мухи.

Ленни был один. Он сидел на сене подле ящика со щенками в том конце конюшни, где сено было навалено не доверху. Сидел на сене и разглядывал мертвого щенка, который лежал перед ним. Разглядывал долго, потом, протянув огромную ручищу, погладил его от головы до хвостика. И тихо спросил:

— Отчего ты издох? Ты ж не такой маленький, как мышь. И я не очень сильно тебя гладил. — Он приподнял голову щенка, поглядел на его морду и сказал: — Джордж, наверно, не позволит мне кормить кроликов, ежели узнает, что ты сдох.

Он вырыл ямку, положил туда щенка и прикрыл его сеном, но продолжал не отрываясь смотреть на холмик. Он сказал:

— Но я не натворил ничего такого, чтоб бежать и прятаться в кустах. Нет. Это еще ничего. Скажу Джорджу, что щенок сам издох.

Он откопал щенка, осмотрел его и снова погладил от головы до хвоста. Потом горестно продолжал:

— Но Джордж все одно узнает. Он завсегда все узнает. Он скажет: «Это ты сделал. Не вздумай морочить мне голову». И скажет: «За это ты не будешь кормить кроликов!»

Вдруг он рассердился.

— Как тебе не совестно! — воскликнул он. — Почему ты издох? Ты не такой маленький, как мышь. — Он схватил щенка, швырнул его в сторону и отвернулся. Потом сел, наклонившись вперед, и прошептал: — Теперь я не буду кормить кроликов. Джордж мне не позволит.

От горя он медленно раскачивался взад-вперед.

Снаружи послышался звон подковы, а потом несколько голосов. Ленни встал, снова подобрал щенка, положил его на сено и сел. Он опять погладил щенка.

— Ты еще маленький, — сказал он. — Мне говорили столько раз, что ты маленький. Но я не знал, что тебя так легко убить. — Он потрогал пальцами мягкое щенячье ухо. — Может, Джордж все-таки не очень рассердится, — сказал он. — Ведь про того сукина сына он сказал — это ничего.

Из-за крайнего стойла появилась жена Кудряша. Она подкралась тихонько, и Ленни ее не видел. На ней было то же яркое бумазейное платье и мягкие туфли, украшенные страусовыми перьями. Лицо было сильно нарумянено, и все локоны-колбаски висели на своих местах. Она молча подошла вплотную к Ленни, и только тогда он поднял голову и увидел ее.

В испуге он быстро зарыл щенка в сено. Потом бросил на нее враждебный взгляд.

— Что ты здесь делаешь, дружок? — спросила она.

Ленни смотрел на нее сердито.

— Джордж велел держаться от вас подальше. Не разговаривать с вами и вообще ничего такого.

Она засмеялась.

– Джордж всегда тобой распоряжается?

Ленни потупил глаза.

— Он сказал, что не позволит мне кормить кроликов, ежели я стану разговаривать с вами.

— Боится, как бы Кудряш не взъярился, — тихо сказала она. — Ну так вот, у него рука на перевязи, а ежели он к тебе пристанет, ты можешь сломать ему и другую. И не плети мне байку, будто рука у него попала в машину.

Однако Ленни твердо стоял на своем.

— Ну уж нет. Не буду я с вами разговаривать.

Женщина опустилась на колени рядом с ним.

— Послушай, — сказала она. — Сейчас все играют в подкову. Еще четырех нет. Они ни за что не бросят игру, покуда не доиграют кон. Почему ж мне нельзя с тобой поговорить? Мне ведь не с кем разговаривать. Я так одинока.

— Но я не должен говорить с вами, — настаивал Ленни.

— Я одинока, — повторила она. — Ты можешь разговаривать с кем хочешь, а я — ни с кем, кроме Кудряша. Иначе он бесится. Как думаешь, весело это — ни с кем не разговаривать?

— Но я не должен, — сказал Ленни. — Джордж боится, что я попаду в беду...

Она переменила разговор:

— Чего это у тебя там закопано?

И тогда Ленни снова охватила тоска.

— Это мой щенок, — сказал он горестно. — Мой щеночек.

И он смахнул со щенка сено.

— Да ведь он мертвый! — воскликнула она.

— Он был такой маленький, — сказал Ленни. — Я хотел только поиграть с ним... И он притворился, будто хочет укусить меня... а я — будто хочу его шлепнуть... и... шлепнул... А потом он был уже мертвый.

Она стала его утешать:

— Не огорчайся. Он ведь всего-навсего щенок. Возьмешь другого. Здесь их полным-полно.

— Я не про это, — сказал Ленни жалобно. — Теперь Джордж не позволит мне кормить кроликов.

— Но почему?

— Он сказал, что ежели я еще чего натворю, он не позволит мне кормить кроликов.

Она придвинулась ближе и заговорила успокаивающе:

— Ты не бойся, это ничего, что ты со мной разговариваешь. Слышишь, как они там кричат? У них на кону четыре доллара. Ни один с места не сойдет, покуда игра не кончится.

— Ежели Джордж увидит, что я разговариваю с вами, он мне задаст жару, — шепнул Ленни опасливо. — Он так и сказал.

Лицо ее стало злым.

— Почему со мной так обращаются? — крикнула она. — Почему я не имею права ни с кем поговорить? За кого они меня считают? Ты такой славный. Отчего ж мне нельзя поговорить с тобой? Я тебе ничего плохого не сделаю.

— Но Джордж говорит, что из-за вас мы попадем в беду.

— Глупости, — сказала она. — Что я тебе плохого делаю? Ну, известное дело, им всем на меня наплевать, они и знать не хотят, каково мне здесь живется. А я тебе вот чего скажу — я не привыкла к такой жизни. Я могла бы кой-чего добиться. И может, еще добьюсь, — добавила она с угрозой.

И она заговорила быстро, увлеченно, словно спешила высказаться, пока ее слушают.

— Я жила в самом Салинасе. Меня туда еще девочкой привезли. Как-то в Салинас приехал на гастроли театр, и я познакомилась с одним актером. Он сказал, что я могу поехать с ихним театром. Но мать меня не отпускала. Говорила, что я еще мала — мне тогда всего пятнадцать было. Но тот актер звал меня. И будь уверен, ежели б я уехала, уж я б не жила вот так, как сейчас.

Ленни гладил мертвого щенка.

— У нас будет маленькое ранчо... и кролики, — сказал он.

Но она спешила рассказать о себе, прежде чем ей помешают.

— А в другой раз я встретила еще одного человека, он в кино работал. Я ходила с ним танцевать в «Приречный дансинг-холл». И он сказал, что поможет мне устроиться в кино. Сказал, что я — самородок. Что он вскорости вернется в Голливуд и напишет мне. — Она испытующе взглянула на Ленни, ей хотелось знать, произвело ли это на него хоть какое-то впечатление. — Но я так и не дождалась письма, — сказала она. — Сдается мне, мать его перехватила. Ну, я не хотела оставаться там, где ничего нельзя добиться в жизни, да еще и письма перехватывают. Я напрямки спросила мать, перехватила она письмо или же нет, — она стала отпираться. А потом я вышла за Кудряша. Мы как раз в тот самый вечер познакомились с ним в дансинге. Ты меня слушаешь?

— Я? Само собой.

— Сейчас я тебе такое скажу, чего еще ни одной живой душе не говорила. Может, и не надо бы, да уж ладно. Я не люблю Кудряша. Он плохой. — После этого признания она пододвинулась к Ленни и села вплотную к нему. — Я могла бы сниматься в кино и носить красивые платья, как другие актрисы. Могла бы жить в роскошных отелях, и за мной гонялись бы фотографы. И я ходила бы на все просмотры и выступала по радио, и это не стоило бы мне ни цента, потому что я была бы киноактрисой. И носила бы красивые платья, как все они. Недаром же тот человек сказал, что я — самородок.

Она посмотрела на Ленни и красиво повела рукой, показывая, что умеет играть. Пальцы ее описали в воздухе плавную дугу, мизинец изящно оттопырился.

Ленни глубоко вздохнул. На дворе раздались звон подковы и одобрительные крики.

— Кто-то удачно сыграл, — сказала она.

Солнце садилось, и светлые полосы ползли по стене, подымаясь выше яслей и лошадиных голов.

— Может, ежели я унесу щенка и выброшу его, Джордж ничего не узнает, — сказал Ленни. — И тогда он позволит мне кормить кроликов.

— Неужто ты ни об чем, окромя кроликов, думать не можешь? — сердито спросила она.

— У нас будет маленькое ранчо, — терпеливо объяснил Ленни. — Будут сад и луг, а на нем люцерна для кроликов, и я буду брать мешок, набивать люцерной и нести кроликам.

— А почему ты так любишь кроликов? — спросила она.

Ленни долго думал, прежде чем нашел объяснение. Он осторожно пододвинулся к ней.

— Я люблю гладить все приятное. Один раз на ярмарке я видел пушистых кроликов. И я знаю, их приятно гладить. Иногда я гладил даже мышей, ежели не было ничего получше.

Женщина испуганно отодвинулась от него.

— По-моему, ты спятил, — сказала она.

— Нет, — серьезно возразил Ленни. — Джордж говорит, что нет. Просто я люблю гладить все приятное, мягкое.

Она немного успокоилась.

— А кто этого не любит? — сказала она. — Всякий любит. Я вот люблю щупать шелк и бархат.

Ленни радостно засмеялся.

— Еще бы! — воскликнул он. — И у меня когда-то был бархат. Мне его дала одна женщина, и эта женщина была... была... моя тетя Клара. Она дала мне вот такой кусок. Был бы он у меня сейчас... — Ленни нахмурился. — Но я его потерял, — сказал он. — Уже давно.

Женщина засмеялась.

— Ты спятил, — сказала она. — Но все одно, кажется, ты очень славный. Просто большой ребенок. Кажется, я тебя понимаю. Иногда я как стану причесываться, долго сижу и глажу свои волосы, потому как они мягонькие. — И чтоб показать, как она это делает, женщина провела рукой по своим волосам. — У некоторых волосы жесткие, — сказала она самодовольно. — Взять, к примеру, хоть Кудряша. У него волосы совсем как проволоки. А у меня — мягкие и тонкие. Потому что я их часто расчесываю. От этого они делаются еще мягче. Вот пощупай. — Она взяла руку Ленни и положила ее себе на голову. — Пощупай и убедись сам, какие они мягкие.

Огромная ручища Ленни начала гладить ее волосы.

— Только не растрепи меня, — сказала она.

— Ох, до чего ж приятно! — сказал Ленни и стал гладить сильней. — До чего ж это приятно!

— Осторожней, ты меня растреплешь. — Потом она сердито прикрикнула: — Да перестань же, ты меня совсем растрепал!

Она дергала головой, но пальцы Ленни все крепче прижимались к ее волосам.

— Пусти! — вскрикнула она. — Слышишь, пусти!

Ленни был в смятении. Лицо его исказилось. Она завизжала, и тогда Ленни свободной рукой зажал ей рот и нос.

— Пожалуйста, не кричите, — попросил он. — Ну пожалуйста, не надо. Джордж рассердится.

Она отчаянно билась в его руках. Ноги ее колотили по сену, она извивалась, пытаясь освободиться, и из-под ладони Ленни вырывались приглушенные стоны. Ленни заплакал от страха.

— Ну пожалуйста, не надо! — молил он. — Джордж скажет, что я опять чего-то натворил. Он не позволит мне кормить кроликов.

Он слегка отпустил руку, и сразу же раздался ее хриплый крик. Тогда Ленни рассердился.

— Перестаньте, — сказал он. — Я не хочу, чтоб вы кричали. Из-за вас я попаду в беду. Джордж так и сказал. Перестаньте же.

А она все вырывалась, и в глазах у нее застыл ужас. Тогда он встряхнул ее, все больше сердясь.

— Не кричите, — сказал он и снова встряхнул ее. Она забилась как рыба. А потом вдруг затихла, потому что Ленни сломал ей шею.

Он посмотрел на нее и осторожно отнял ладонь от ее рта.

— Я не хотел сделать вам больно, — сказал он. — Но Джордж рассердится, ежели вы будете кричать.

Она не отвечала, не двигалась, и тогда он склонился над ней. Он приподнял ее руку, потом отпустил... Сперва он как будто был только удивлен. Потом прошептал со страхом:

— Я чего-то натворил. Я опять чего-то такое натворил.

И стал забрасывать труп сеном, покуда не завалил до половины.

Со двора донеслись крики, двойной удар подковы. И тут Ленни впервые подумал о том, что происходит там, на дворе. Он присел на корточки и прислушался.

— Я и впрямь чего-то натворил, — сказал он. — Не надо было мне этого делать. Джордж рассердится. И... он сказал... спрячься в кустах и дожидайся меня. Он рассердится... В кустах дожидайся меня. Так он сказал.

Ленни повернулся и взглянул на мертвую, полузаваленную сеном женщину. Щенок лежал рядом с ней. Ленни взял его в руки.

— Я его выброшу, — сказал он. — И без того худо...

Он сунул щенка за пазуху, на четвереньках подполз к стене и поглядел сквозь щель на игроков. Потом ползком обогнул ближнее стойло и скрылся.

Солнечные полосы поднялись теперь высоко по стене, конюшня была залита мягким вечерним светом. Жена Кудряша лежала навзничь, прикрытая сеном.

В конюшне было тихо, и на всем ранчо царила предвечерняя тишина. Даже звон подковы и крики игроков, казалось, стали глуше. Сумрак постепенно окутывал конюшню, хотя на дворе было еще совсем светло. В отворенную дверь влетел голубь, покружил под потолком и снова вылетел на волю. Из-за крайнего стойла вышла овчарка, длинная, поджарая, с тяжелыми, отвисшими сосцами. Не дойдя до ящика, где лежали щенки, она почуяла мертвечину, и шерсть у нее на загривке встала дыбом. Она заскулила, на брюхе подползла к ящику и прыгнула в него, к щенкам.

Жена Кудряша лежала, полузаваленная сеном. Ожесточенность, тревога, тщеславие — всего этого как бы не бывало. Она стала теперь такой милой, такой простой, и ее личико казалось нежным и юным. Нарумяненные щеки и накрашенные губы оживляли его, словно она лишь задремала. Локоны, похожие на колбаски, разметались по сену вокруг головы, губы были приоткрыты.

Как это иногда бывает — время вдруг на миг остановилось, замерло. И звон смолк, и движение прервалось, и длилось это много, много долгих мгновений.

Потом время ожило и медленной поступью двинулось дальше. Лошади забили копытами в своих стойлах, и зазвенели уздечки. Голоса снаружи стали громче и звонче.

Из-за крайнего стойла послышался голос старика Плюма.

— Ленни, — позвал он. — Эй, Ленни! Ты здесь, что ли? Я придумал еще кое-чего. Мы могли бы, Ленни... — Старик Плюм появился из-за крайнего стойла. — Эй, Ленни! — позвал он снова и вдруг остановился как вкопанный. Он потер культей седую щетину на щеке. — Я не знал, что вы здесь, — сказал он жене Кудряша.

Она не откликнулась. Тогда он подошел ближе.

— Негоже вам тута спать, — сказал он укоризненно; потом подошел вплотную и...

— О Господи! — Он беспомощно огляделся и потер подбородок. Потом резко повернулся и выбежал из конюшни.

Конюшня давно уж вся ожила. Лошади били копытами, фыркали, жевали соломенную подстилку и звенели уздечками. Вскоре Плюм вернулся.

Следом за ним поспешал Джордж.

— Так чего такое ты хотел мне сказать? — спросил он.

Плюм указал на лежащую женщину. Джордж в недоумении уставился на нее.

— Чего это с ней такое? — спросил он. Потом подошел поближе и сказал, как Плюм, слово в слово: — О Господи!

Он опустился рядом на колени и приложил руку к груди женщины. Когда же он наконец встал, медленно и с трудом, лицо у него было каменное, а взгляд застывший.

— Кто ж это мог сделать? — спросил Плюм.

Джордж взглянул на него пустыми глазами.

— Ты что, не понял разве? — спросил он. И Плюм сразу смолк. — Я должен был это предвидеть, — сказал Джордж, беспомощно озираясь. — В душе я чувствовал, что так оно и будет.

— Что ж нам теперь делать, Джордж? — спросил Плюм. — Что же делать?

Джордж ответил не сразу, после долгого молчания.

— Вот что... Надобно рассказать... им всем... Надобно поймать его и посадить под замок. Нельзя дать ему улизнуть. Ведь этот дурак разнесчастный вскорости помрет с голоду. — Тут он сам попытался ободрить себя: — Может, его не тронут, просто посадят под замок, и всех делов.

Но Плюм воскликнул взволнованно:

— А по-моему, надобно помочь ему сбежать! Ты не знаешь Кудряша. Кудряш захочет его линчевать. И забьет насмерть.

Джордж пристально смотрел, как шевелятся губы Плюма.

— Да, — вымолвил он наконец. — Да, Кудряш так и сделает. И другие тоже.

Тут он снова взглянул на мертвую женщину.

А Плюм заговорил о том, что волновало его больше всего прочего:

— Но мы с тобой все одно купим ранчо, ведь правда, Джордж? Переедем и заживем там, ведь правда, Джордж? Ведь это правда?

Но еще прежде, чем Джордж ответил, Плюм потупил голову и уставился в пол. Он сам все понял.

Джордж сказал тихо:

— Сдается мне, я предвидел это с самого начала. Сдается мне, я предвидел, что этому никогда не бывать. Он любил слушать про это, и я сам поверил...

— Стало быть... все кончено? — спросил Плюм с тоской.

Джордж не ответил. Помолчав, он сказал:

— Поработаю до конца месяца, получу свои полсотни долларов да закачусь на всю ночь к девочкам. Или буду сидеть в бильярдной до тех пор, покуда все не разойдутся по домам. А потом вернусь и буду вкалывать еще с месяц и получу еще полста монет.

Плюм сказал:

— Он такой славный. Никогда не думал, что он может такое натворить.

А Джордж все смотрел на женщину.

— Ленни сделал это без умысла, — сказал наконец Джордж. — Он частенько, бывало, натворит чего-нибудь, но всегда без умысла. — Джордж выпрямился и повернулся к Плюму. — А теперь слушай. Надо сказать им всем. Они, известно, его изловят. Тут уж ничего не поделаешь. Может, они его не убьют. — И он обронил с ненавистью: — Я не дам им убить Ленни. Слушай, ты. Они могут подумать, будто и я в этом деле замешан. Сейчас я пойду в барак. А малость погодя ты выйдешь и скажешь всем про нее. Потом приду и я, будто ничего не видел. Сделаешь это? Тогда никто на меня не подумает.

— Само собой, Джордж, — ответил Плюм. — Само собой, сделаю.

— Ну и ладно. Тогда обожди маленько, а потом выбежишь и скажешь так, будто только что ее нашел. А я пойду в барак.

Джордж повернулся и быстро вышел из конюшни.

Старик Плюм проводил его взглядом. Потом беспомощно поглядел на женщину, и вся его досада вдруг излилась в словах.

— Ты, потаскуха разнесчастная, — сказал он со злобой. — Добилась своего? Теперь небось рада? Все знали, что с тобой не миновать беды. Какой от тебя был толк? И теперь нету толку, дрянь ты паскудная, задрыга. — Он всхлипнул, и голос его задрожал. — А я мог бы работать на огороде и мыть посуду для друзей. — Он помолчал, потом продолжал заученным тоном, снова повторяя те же слова: — А ежели приедет цирк или будет бейсбольный матч... мы пойдем туда... скажем: «К чертям работу», — да и пойдем. Ни у кого не будем спрашиваться... У нас будет и свинья, и куры... а зимой... пузатая печка... и дождь... И мы будем сидеть у печки...

Глаза его затуманили слезы, он потер культей щетинистую щеку, повернулся и побрел к двери.

Шум игры смолк. Послышались удивленные крики, быстрый топот ног, и в конюшню ворвались люди: Рослый, Карлсон, молодой Уит, Кудряш и Горбун, который держался позади всех. Потом вошли Плюм, а последним — Джордж, Джордж успел надеть свою синюю куртку, застегнулся на все пуговицы и низко надвинул на лоб черную шляпу. Мужчины, обогнув крайнее стойло, в полумраке отыскали глазами убитую и остановились.

Потом Рослый тихонько подошел и пощупал у нее пульс. Он коснулся пальцами ее щеки, подсунул руку под вывернутую шею. Когда он выпрямился, все, толпясь, подступили ближе. Чары были разрушены.

Кудряш взъярился.

— Я знаю, чьих рук это дело! — заорал он. — Того здоровенного сукина сына! Кроме его, некому! Ведь все остальные играли в подкову.

И он начал все пуще себя распалять:

— Ему от меня не уйти! Вот только возьму ружье! Своей рукой пристрелю мерзавца! Кишки ему выпущу! За мной, ребята!

Он в ярости выбежал из конюшни.

Карлсон сказал:

— Побегу возьму револьвер, — и выскочил вслед за ним. Рослый медленно повернулся к Джорджу.

— Видать, это и взаправду Ленни сделал, — сказал он. — У нее шея сломана. С Ленни такое станется.

Джордж не ответил, только кивнул. Шляпа его была надвинута низко, на самые глаза.

— Может, это случилось, как тогда, в Уиде — помнишь, ты рассказывал, — продолжал Рослый.

Джордж снова кивнул. Рослый сказал со вздохом:

— Что ж, придется его изловить. Как думаешь, где он?

Джордж ответил не сразу, с трудом выдавливая из себя слова:

— Он... наверное, он пошел на юг. Мы пришли с севера, так что теперь он должен был пойти на юг.

— Придется его изловить, — повторил Рослый.

Джордж подошел к нему вплотную.

— А нельзя ли будет привести его сюда да посадить под замок? Он ведь чокнутый. Сделал это без умысла.

Рослый кивнул.

— Можно, — сказал он. — Ежели только удержать Кудряша. Но Кудряш беспременно хочет его пристрелить. Кудряш не забыл про свою руку. Но даже ежели Ленни посадят под замок, то отхлещут ремнем и навсегда упекут за решетку. Хорошего тут мало, Джордж.

— Знаю, — отозвался Джордж. — Знаю.

В конюшню вбежал Карлсон.

— Этот подлец украл мой револьвер! — крикнул он. — Его нет в мешке!

Вслед за ним вошел Кудряш, неся в здоровой руке ружье. Теперь он был спокоен.

— Ничего, ребята, — сказал он. — У черномазого есть дробовик. Возьми, Карлсон. Как увидишь его, смотри не упусти. Пали прямо в брюхо. Он сразу и свалится.

— А у меня вот нету ружья, — сказал Уит с досадой.

— Ты поезжай в Соледад и сообщи в полицию, — сказал Кудряш. — Привези сюда Ола Уилтса, помощника шерифа. Ну, двинули. — Он подозрительно глянул на Джорджа. — И ты тоже с нами пойдешь.

— Да, — сказал Джордж. — Пойду. Но послушай, Кудряш. Ведь он, бедняга, полоумный. Не убивай его. Он сам не знал, чего делает.

— Не убивать? — заорал Кудряш. — Да у него револьвер Карлсона! Пристрелим его, и дело с концом.

— А что, ежели Карлсон сам потерял револьвер? — нерешительно возразил Джордж.

— Я его видел сегодня утром, — сказал Карлсон. — Нет уж, дело ясное, его украли.

Рослый все стоял, глядя на жену Кудряша. Он сказал:

— Кудряш... может, тебе лучше остаться здесь, с ней?

Кудряш побагровел.

— Нет, я пойду, — сказал он. — Я выпущу этому подлецу все кишки. Сам это сделаю, хоть у меня только одна рука здоровая. Ему теперь не уйти.

Рослый повернулся к старику Плюму.

— Ну, тогда останься хоть ты с ней, Плюм. А мы пойдем.

И они ушли. Джордж задержался подле Плюма — оба смотрели на мертвую женщину. Но тут Кудряш крикнул:

— Эй ты, Джордж, не отставай, а то как бы мы про тебя чего не подумали!

Джордж медленно побрел следом, едва волоча ноги.

Когда они ушли, Плюм присел на корточки, разглядывая мертвое лицо.

— Бедняжка, — сказал он шепотом.

Шаги и голоса затихли вдали. В конюшне становилось все темней, лошади в стойлах били копытами и звенели уздечками. Старик Плюм лег на сено и прикрыл глаза рукой.

VI

В эту предвечернюю пору зеленая вода в глубокой заводи реки Салинас была недвижна. Солнце же не освещало долину, лучи его скользили лишь по склонам хребта Габилан, и горные вершины розовели в этих лучах. А на заводь, окруженную корявыми стволами сикоморов, ниспадала благодатная тень.

Водяная змейка бесшумно скользнула по воде, поворачивая голову, как перископ, из стороны в сторону; она переплыла заводь и очутилась у самых ног цапли, неподвижно стоявшей на отмели. Цапля стремительно ухватила клювом извивающуюся змейку за голову и проглотила ее.

Порывистый ветер налетел откуда-то издалека и волной прокатился по кронам деревьев. Листья сикомор обернулись против ветра серебристой подкладкой, бурая палая листва взметнулась в воздух и, пролетев несколько футов, снова опустилась на землю. Зеленая вода подернулась мелкой рябью.

Ветер улегся так же мгновенно, как и поднялся, и на поляне снова все замерло. Цапля стояла у берега, недвижная, выжидающая. Другая водяная змейка плыла по заводи, поворачивая голову, как перископ, из стороны в сторону.

Вдруг из кустов появился Ленни. Он ступал тихо, будто медведь, подкрадывающийся к улью. Цапля взмахнула крыльями, поднялась над водой и полетела к низовьям реки. Змейка скрылась в прибрежном камыше.

Ленни тихо подошел к заводи. Он встал на колени и напился, припав губами к воде. Какая-то птичка затрепыхалась у него за спиной в сухих листьях. Он вздрогнул и прислушался, озираясь, потом увидел птичку, пригнул голову и снова стал пить.

Напившись, он сел на землю, боком к реке, чтоб видеть тропу. Обхватил колени руками и положил на них подбородок.

Свет медленно меркнул в долине, и вершины гор, казалось, засверкали еще ярче.

Ленни сказал тихо:

— Я не забыл. Нет. Спрятаться в кустах и ждать Джорджа. — Он низко надвинул шляпу на лоб. — Джордж задаст мне жару, — прошептал он. — Скажет: «Эх, ежели б я был один и ты не висел у меня на шее...» — Он повернул голову и поглядел на залитые солнцем вершины гор. — Я могу уйти туда и сыскать себе пещеру, — сказал он, а потом добавил с тоской: — И никогда не есть соуса. Но это все одно. Ежели Джорджу я не нужен... я уйду, уйду.

И тут Ленни почудилось, будто из его головы вышла седоволосая толстушка. На носу у нее были очки с толстыми стеклами, на животе — широкий полосатый фартук с карманами. Вся одежда была чистая, накрахмаленная. Толстушка стояла перед Ленни подбоченясь и неодобрительно хмурилась.

Вдруг она заговорила голосом самого Ленни.

— Сколько раз я тебе втолковывала, чтоб ты слушался Джорджа, — сказала она. — Он такой хороший человек и так добр к тебе. Но ты и ухом не повел. Ты одно знал — как бы чего-нибудь натворить.

И Ленни ответил:

— Я старался, тетя Клара. Все время старался. Но у меня ничего не выходило.

— Ты совсем не думал о Джордже, — продолжала она голосом Ленни. — А он все время об тебе заботился. Когда у него был кусок пирога, он всегда отдавал тебе половину, даже больше половины. А ежели был соус, он отдавал тебе весь.

— Знаю, — сказал Ленни жалобно. — Я старался, тетя Клара, очень даже старался. Все время.

Она перебила его:

— А ведь ежели б не ты, он и горя не знал бы, вот как. Получил бы свои денежки да развлекался с девочками или на бильярде играл. Но ему надо было об тебе заботиться.

Ленни застонал от раскаянья.

— Я знаю, тетя Клара, знаю. Я уйду в горы, сыщу пещеру, стану там жить и больше не буду доставлять Джорджу хлопот.

— Ты это только так говоришь, — сказала она резко. — Ты всегда так говорил, а сам знаешь, распросукин ты сын, что никогда этого не сделаешь. Так и будешь тянуть из Джорджа жилы.

— Но я могу уйти. Все одно Джордж теперь не позволит мне кормить кроликов.

Тетя Клара исчезла, а из головы у Ленни выпрыгнул огромный кролик. Он присел на задние лапы, пошевелил ушами, сморщил нос. И тоже заговорил голосом Ленни.

— Кормить кроликов, — сказал он презрительно. — Дурак полоумный! Да ты недостоин пятки кроликам лизать. Ты позабудешь про них, и они останутся голодные. Только и делов. Но что тогда скажет Джордж?

— Я не позабуду! — крикнул Ленни.

— Позабудешь, — настаивал кролик. — Ты не достоин тех ржавых гвоздей, которыми черти тебя в аду распнут. Видит Бог, Джордж сделал все, чтоб вытащить тебя из грязи, да только без толку. Ежели ты думаешь, что Джордж позволит тебе кормить кроликов, стало быть, ты вовсе с ума спятил. Как бы не так. Он выбьет из тебя дурь палкой, вот что он сделает.

Ленни возразил вызывающе:

— Он не сделает этого. Даже и не подумает. Я знаю Джорджа с... не помню уж, с каких пор... и он никогда на меня палкой даже не замахнулся. Он меня любит. Он добрый.

— Но ты ему осточертел, — сказал кролик. — Он из тебя выбьет дурь, а потом плюнет и уйдет.

— Он этого не сделает! — завопил Ленни в отчаянье. — Даже и не подумает! Я знаю Джорджа. Мы с ним давно вместе.

Но кролик твердил свое:

— Он тебя бросит, дурак ты полоумный. Бросит здесь одного. Он тебя бросит, дурак полоумный.

Ленни зажал уши.

— Не бросит, говорю тебе, не бросит.

И закричал:

— Эй, Джордж, Джордж, Джордж!

Джордж тихо вышел из кустов, и кролик юркнул обратно в голову Ленни.

Джордж спросил вполголоса:

— Ну, чего ты кричишь?

Ленни привстал.

— Ты ведь не бросишь меня, правда, Джордж? Я знаю, ты меня не бросишь.

Джордж медленно подошел и сел рядом.

— Нет.

— Я это знал! — воскликнул Ленни. — Ты не такой!

Джордж молчал.

Ленни сказал:

— Джордж.

— Ну?

— Я опять чего-то натворил.

— Это не важно, — сказал Джордж и снова замолчал. Теперь только самые макушки гор были освещены солнцем. В долине царил мягкий, голубоватый сумрак. Вдалеке послышался мужской голос, ему откликнулся другой. Джордж повернул голову и прислушался.

Ленни сказал:

— Джордж.

— Да?

— Ты не задашь мне жару?

— Тебе жару?

— Ну, как всегда. Вот так: «Ежели б не ты, я взял бы свои полсотни долларов...»

— Господи, Ленни! Ты не помнишь ничего, что с тобой случается, но помнишь каждое мое слово.

— Разве ты не скажешь мне это?

Джордж кое-как совладал с собой. Он ответил безжизненным голосом:

— Будь я один, я б и горя не знал. — Голос его звучал однотонно, бесстрастно. — Работал бы себе, и никаких неприятностей.

Он замолчал.

— Дальше, — сказал Ленни. — «А в конце месяца...»

— А в конце месяца я получал бы свои полсотни долларов и шел развлекаться с девочками...

Он замолчал снова.

Ленни нетерпеливо посмотрел на него.

— Говори дальше, Джордж. Разве ты не задашь мне еще жару?

— Нет, — сказал Джордж.

— Что ж, я могу уйти, — сказал Ленни. — Ежели я тебе не нужен, пойду в горы и сыщу там пещеру.

Джордж снова совладал с собой.

— Нет, — ответил он. — Я хочу, чтоб ты остался со мною.

Ленни сказал лукаво:

— Тогда расскажи мне, как раньше...

— Про что рассказать?

— Про других и про нас.

Джордж сказал:

— У таких людей нет семьи. Они сперва малость подзаработают, а потом все промотают. Они без роду, без племени, никто об них не заботится...

— Другое дело — мы! — радостно подхватил Ленни. — Расскажи теперь про нас.

Джордж помолчал.

— Другое дело — мы, — сказал он.

— Потому что...

— Потому что у меня есть ты...

— А у меня — ты. Мы с тобой всегда вместе, мы друг об друге заботимся! — воскликнул Ленни с торжеством.

Легкий вечерний ветерок пронесся по поляне, зашелестели листья, и зеленая заводь подернулась рябью.

И снова раздались голоса, они звучали все ближе.

Джордж снял шляпу. Он сказал дрогнувшим голосом:

— Сними и ты шляпу, Ленни. Сегодня тепло.

Ленни послушно снял шляпу и положил ее подле себя на землю. Сумрак в долине отливал синевой — быстро смеркалось. Ветер донес треск кустов.

Ленни попросил:

— Расскажи, как это будет.

Джордж прислушивался к звукам голосов. Лицо у него теперь было сосредоточенное.

— Гляди вон туда, за реку, Ленни, а я буду рассказывать, и ты словно бы увидишь все своими глазами.

Ленни отвернулся от него и стал смотреть через заводь на темнеющие горные склоны.

— У нас будет маленькое ранчо, — начал Джордж. Он вынул из кармана револьвер Карлсона, взвел курок и положил револьвер на землю за спиной у Ленни. Потом поглядел Ленни в затылок.

Со стороны реки донесся мужской голос, и другой голос тотчас ему откликнулся.

— Ну, говори же, — попросил Ленни.

Джордж поднял револьвер, но рука его дрогнула и вновь опустилась.

— Дальше, — сказал Ленни. — Расскажи, как это будет. У нас будет маленькое ранчо...

— У нас будет корова, — сказал Джордж. — И еще, пожалуй, свинья и куры... а на лугу... мы посеем люцерну...

— Для кроликов! — подхватил Ленни.

— Для кроликов, — повторил Джордж.

— И я буду кормить кроликов.

— И ты будешь их кормить.

Ленни радостно засмеялся.

— И мы будем сами себе хозяева.

— Да.

Ленни обернулся.

— Нет, Ленни, гляди за реку, тогда ты все будто увидишь своими глазами.

Ленни повиновался. Джордж взглянул на револьвер.

В кустах послышался треск, потом тяжелые шаги. Джордж обернулся на шум.

— Говори же, Джордж. Когда все это будет?

— Скоро.

— Мы будем там жить с тобой вдвоем.

— Да. Мы... вдвоем... Тебя никто не обидит, и... никаких неприятностей. Никто не будет у тебя ничего отбирать.

Ленни сказал:

— А я думал, ты рассердишься на меня, Джордж.

— Нет, — сказал Джордж. — Нет, Ленни. Я не сержусь. Я никогда не сердился на тебя. Вот и теперь тоже. Я хочу, чтоб ты это знал.

Голоса раздавались уже совсем близко, Джордж поднял револьвер и прислушался.

Ленни попросил:

— Давай купим ранчо сейчас. Прямо сейчас.

— Само собой... Я... мы...

Джордж уставил револьвер прямо Ленни в затылок. Рука у него тряслась, но лицо было решительным, и он совладал с дрожью. Он нажал спуск. Грохот выстрела прокатился по долине и отдался эхом в горах. Ленни дернулся, потом медленно повалился ничком на песок и замер.

Джордж вздрогнул, глянул на револьвер, потом швырнул его на кучу золы.

На поляне послышались крики и топот бегущих ног. Раздался оклик Рослого:

— Джордж! Ты где, Джордж?

Джордж недвижно сидел на берегу и глядел на свою правую руку, которой отшвырнул револьвер. Люди выбежали на поляну. Кудряш был впереди. Он увидел Ленни, лежавшего на песке.

— Готов, — сказал он, подойдя вплотную. Он поглядел на Ленни, потом на Джорджа. — Аккурат в затылок, — добавил он тихо.

Рослый подошел к Джорджу и сел рядом, касаясь его плечом.

— Что ж, — сказал он. — Бывает, и на такое решаться надобно.

Карлсон стоял тут же.

— Как это ты сделал? — спросил он.

— Просто сделал, и все, — ответил Джордж устало.

— У него был мой револьвер?

— Да.

— А ты отобрал револьвер и застрелил его?

— Да. — Джордж говорил почти шепотом. Он снова поглядел на свою правую руку.

Рослый взял Джорджа за плечо.

— Пойдем, Джордж. Пойдем выпьем чего-нибудь.

Он помог Джорджу встать. Тот не сопротивлялся.

— Выпьем.

Рослый сказал:

— Ты должен был сделать это, Джордж. Должен. Пошли.

И он повел Джорджа по тропе в сторону шоссе.

Кудряш и Карлсон посмотрели им вслед. Карлсон сказал:

— И чего это их так гложет обоих, ей-ей, не пойму.

ЖЕМЧУЖИНА

В городе рассказывают о великой жемчужине — о том, как она была найдена и вновь утрачена. Рассказывают о ловце жемчуга по имени Кино, его жене Хуане и малыше Койотито. Историю эту повторяли так часто, что она пустила глубокие корни в каждой душе. Как и во всех историях, которые пересказываются по многу раз и оседают в людских сердцах, в ней есть только хорошее и плохое, белое и черное, доброе и злое — и никаких полутонов.

Возможно, это притча, и каждый видит в ней свой смысл и отражение собственной жизни. Как бы там ни было, в городе рассказывают, что...

I

Кино проснулся почти в полной темноте. Еще светили звезды, и день лишь слегка мазнул белым по самому горизонту, хотя уже вовсю кричали петухи, а свиньи рылись среди щепок и древесной трухи в поисках чего-нибудь съедобного. В зарослях кактусов рядом с хижиной щебетали и хлопали крыльями птицы.

Кино открыл глаза и посмотрел сначала на светлеющий дверной проем, затем на подвешенный к столбу ящик, где спал Койотито. Наконец он повернул голову к Хуане, которая лежала рядом на циновке, обернув синей шалью спину, грудь и лицо. Глаза у нее были открыты. Сколько Кино помнил, они неизменно бывали открыты, когда он просыпался. В темных глазах Хуаны отражались звезды. Она смотрела на него тем взглядом, каким смотрела всегда в первые минуты пробуждения.

С берега доносился тихий шелест утренних волн. Хорошо... Кино вновь закрыл глаза и прислушался к музыке. Может, он один ее слышал, а может, слышал и весь его народ. Некогда люди его народа слыли великими певцами, и все, что они видели, думали, делали и слышали, становилось песней. С тех пор прошло немало времени. Старые песни остались — Кино знал их наизусть, — а вот новых не появлялось. Зато у него были свои. В эту самую минуту в голове у Кино звучала песня, тихая и ясная, и если бы он мог говорить о ней вслух, то назвал бы ее песней семьи.

Кино лежал, закрыв одеялом нос от сырого воздуха. Рядом раздался тихий шорох — почти бесшумно встала Хуана. Она босиком подошла к ящику, где спал Койотито, склонилась над ним и прошептала что-то ласковое. Малыш коротко глянул на мать, закрыл глаза и снова уснул.

Хуана шагнула к вырытому в земляном полу очагу, отыскала в золе уголек и принялась раздувать огонь, скармливая ему хворостинки.

Кино тоже встал, обернул голову и плечи одеялом, спрятал в него нос, сунул ноги в сандалии и вышел из хижины — посмотреть рассвет.

Он присел на корточки и прикрыл концами одеяла колени. Высоко над заливом уже пламенели легкие облака. Подошла коза, принюхалась и уставилась на Кино своими холодными желтыми глазами. Огонь в очаге наконец-то разгорелся — сквозь щели в плетеных стенах просочились тонкие лучи, а на землю лег неровный прямоугольник света от дверного проема. Запоздалый ночной мотылек ринулся в хижину в поисках пламени. Песня семьи звучала теперь из-за спины у Кино, а ритмом ей служил скрежет камня, которым Хуана молола кукурузу для утренних лепешек.

Рассвет наступил быстро: сумрак превратился в полусвет, полусвет — в сияние. Наконец небо заполыхало — это из залива встало солнце. Кино опустил глаза, пряча их от нестерпимого блеска. Он слышал, как в хижине у него за спиной Хуана прихлопывает руками тесто, чувствовал сытный запах жарящихся на противне лепешек. На земле копошились муравьи: одни — крупные, черные и блестящие, другие — маленькие, серые, проворные. С отрешенностью Бога Кино наблюдал, как серый муравьишка отчаянно пытается вылезти из песчаной ямки, которую вырыл для него муравьиный лев. Робко подошел худой черный щенок с золотисто-рыжими подпалинами вместо бровей. Ободренный ласковым словом хозяина, он свернулся калачиком, аккуратно обернул лапы хвостом и осторожно положил на них морду. Такое же утро, как любое другое, и все же самое прекрасное из всех...

Заскрипела веревка: это Хуана достала Койотито из ящика. Она умыла его и, словно в гамак, положила в повязанную через плечо шаль — так, чтобы он мог достать грудь. Кино видел обоих, даже не оборачиваясь. Хуана негромко напевала древнюю песню, в которой было только три ноты и, однако же, бесконечное разнообразие вариаций. Песня Хуаны тоже была частью семейной песни. Все было ее частью. Иногда она восходила до щемящего аккорда, от которого перехватывало горло, словно говоря: «Вот — защита, вот — тепло, вот — все».

За плетеным забором стояли другие плетеные хижины. Оттуда тоже доносился запах дыма и звуки готовящегося завтрака, но то звучали чужие песни. Те свиньи — чужие свиньи, те жены — не Хуана. Кино был молод и силен; смотрел тепло, свирепо и ясно. Усы у него были тонкие и жесткие, на смуглый лоб свисали пряди черных волос. Кино отбросил с лица одеяло: тлетворный темный воздух рассеялся, и на хижину лился желтый солнечный свет. Возле плетня, опустив головы и взъерошив на загривке перья, шли друг на друга два петуха с растопыренными в стороны крыльями. Нелепая выйдет драка: куда им до бойцовых птиц? Кино немного понаблюдал за ними и перевел взгляд на стаю диких голубей, летящую от берега к холмам. Мир окончательно проснулся. Кино встал и вошел в дом.

Когда он появился в дверях, сидевшая у очага Хуана поднялась и уложила Койотито в ящик. Потом расчесала свои черные волосы, заплела в две косы и перевязала концы тонкой зеленой лентой. Кино присел рядом с очагом, свернул горячую лепешку трубочкой, обмакнул в подливку и съел. Затем выпил немного пульке* — вот и весь завтрак. Другого завтрака он никогда и не знал, если не считать церковных праздников да того раза, когда он так объелся печенья, что едва не умер.

Когда Кино покончил с завтраком, Хуана вернулась к очагу и тоже поела. Раньше они

---

* Пульке — слабоалкогольный мексиканский напиток из забродившего сока агавы (здесь и далее — примечания переводчика).

разговаривали друг с другом, но к чему слова, если произносишь их только по привычке? Кино удовлетворенно вздохнул — это и был настоящий разговор.

Солнце согревало плетеную хижину, бросая длинные лучи сквозь щели в стенах. Один такой луч упал на привязанный к столбу ящик, где лежал Койотито, на держащие его веревки.

Взгляд привлекло какое-то легкое движение. Кино с Хуаной замерли на месте: по веревке, на которой висел ящик, медленно полз скорпион. Смертоносный хвост гада был опущен, но ему ничего не стоило его поднять.

Из ноздрей Кино со свистом вырывался воздух, и он открыл рот, чтобы не было слышно дыхания. Затем растерянное выражение исчезло с его лица, а тело вновь обрело способность двигаться. Внутри у Кино звучала теперь новая песня — песня зла, музыка врага, любого недруга, готового причинить вред семье, дикая, тайная, опасная мелодия, а под ее раскатами жалобно стенала песня семьи.

Скорпион осторожно полз по веревке — вниз, к ящику. Сквозь плотно сжатые зубы Хуана бормотала древний заговор, подкрепляя его еле слышной «Аве Марией». Кино вышел из оцепенения. Он быстро и беззвучно скользнул через комнату, держа руки перед собой и не сводя глаз со скорпиона. Еще немного, и он у цели... Но тут Койотито со смехом потянулся к ядовитому гаду. Скорпион почувствовал опасность, замер и мелкими рывками начал поднимать хвост, на конце которого влажно поблескивал изогнутый шип.

Кино стоял совершенно неподвижно. Он слышал, как Хуана повторяет древний заговор; слышал зловещую музыку врага. Он ждал, куда двинется скорпион, а тот пытался определить источник приближающейся смерти. Кино протянул руку — очень медленно, очень осторожно... Хвост с ядовитым шипом дернулся вверх. В тот же миг Койотито со смехом тряхнул веревку, и скорпион упал.

Кино метнулся вперед, однако скорпион пролетел мимо его руки, шлепнулся на плечо ребенку и ужалил. Кино с рычанием схватил гада, раздавил, растер в мокрую кашицу.

Он бросил скорпиона на пол и принялся бить по нему кулаком. В ящике кричал от боли Койотито, но Кино все бил и бил, пока на земляном полу не осталось только влажное пятнышко. Зубы у него были оскалены, глаза сверкали от ярости, а в ушах ревела песня врага.

Хуана подхватила ребенка на руки и нашла след от укола, вокруг которого уже распространялась краснота. Она прижала губы к ранке и принялась высасывать и сплевывать, высасывать и сплевывать, а Койотито все кричал и кричал.

Кино беспомощно топтался на месте. Он не мог помочь; он только мешал.

Привлеченные криками Койотито, сбежались соседи. В дверях, перегородив проход, остановился Хуан-Томас, брат Кино, вместе со своей толстой женой Аполонией и четырьмя детьми. Остальные старательно заглядывали им через плечо, а один мальчик даже прополз между ног у взрослых, лишь бы узнать, что стряслось. Стоящие впереди передавали новость стоящим сзади: «Скорпион. Ужалил малыша».

Хуана перестала высасывать яд и взглянула на след от укола. Ранка немного увеличилась, а ее края побелели, но вокруг продолжал разрастаться твердый красный бугорок.

Все они хорошо знали, что такое укус скорпиона. Взрослый еще может переболеть и оправиться, а вот маленький ребенок вряд ли. Сперва место укола опухнет, начнется жар и удушье, затем — брюшные колики, и, если в кровь попало достаточно яда, малыш умрет. Однако первая жгучая боль уже отступала, и крики Койотито перешли в жалобные стоны.

Кино не раз удивлялся, какая железная воля у его хрупкой, терпеливой жены. Она, такая покорная, почтительная и жизнерадостная, во время родов извивалась от боли, не издавая почти ни звука. Хуана переносила голод и усталость едва ли не лучше самого Кино. В каноэ ничем не уступала сильному мужчине. И вот теперь она сделала нечто неслыханное.

— Доктора, — сказала Хуана. — Позовите доктора.

Новость эта тут же облетела тесный дворик, где толпились соседи. Хуана послала за доктором! Удивительное, небывалое дело — послать за доктором. Добиться, чтобы он пришел, значит совершить невозможное. Доктор никогда не посещал плетеные хижины бедняков. Да и зачем, когда в городе больных больше чем достаточно — больных-богачей в домах из камня и штукатурки.

— Он не придет, — говорили во дворе соседи.

— Он не придет, — вторили стоящие в дверях.

Мысль эта передалась и Кино.

— Доктор не придет, — сказал он.

Жена посмотрела на него холодными глазами львицы. Это же первый ребенок — почти единственное, что есть у нее в жизни! Кино увидел решимость Хуаны, и музыка семьи у него в голове зазвенела, как сталь.

— Значит, мы сами к нему пойдем, — объявила Хуана.

Свободной рукой она накинула на голову шаль, одним концом примотала к себе ребенка, другим закрыла его от солнца. Стоявшие в дверях подались назад, чтобы дать ей пройти. Вслед за женой Кино вышел в калитку и зашагал по разбитой колесами дороге. Соседи потянулись за ними.

Дело это касалось теперь всей деревни. Ступая быстро и бесшумно, толпа направилась к центру города: впереди — Хуана и Кино, за ними — Хуан-Томас с Аполонией, большой живот которой сотрясался от скорой ходьбы. Шествие замыкали остальные соседи, а по бокам от них семенили ребятишки. Желтое солнце светило людям в спину, так что они наступали на собственные длинные тени.

Там, где заканчивались плетеные хижины, начинался город из камня и штукатурки — город неприступных стен и незримых тенистых садов, в которых журчали фонтанчики, и бугенвиллия расцвечивала стены пурпурными, кирпично-красными и белыми цветами. Из этих потаенных садов доносились пение запертых в клетки птиц и плеск прохладной воды по горячим каменным плитам. Процессия пересекла залитую слепящим солнцем площадь и миновала церковь. Свита Кино продолжала разрастаться. Вновь прибывшим вполголоса объясняли, что ребенка ужалил скорпион и отец с матерью несут его к доктору.

Вновь прибывшие, в особенности нищие с паперти, большие знатоки в денежных вопросах, быстро оглядывали старую синюю юбку Хуаны, подмечали дыры в шали, оценивали зеленую ленту в волосах, прикидывали, сколько лет одеялу Кино и сколько раз стиралась его одежда, определяли в них бедняков и присоединялись к процессии, чтобы поглазеть, какая в итоге разыграется драма. Нищие с паперти могли бы рассказать обо всем, что делалось в городе. Они пытливо всматривались в лица молодых женщин, когда те шли на исповедь или возвращались с нее, и безошибочно угадывали род совершенного греха. Им был известен каждый мелкий скандал и даже парочка крупных преступлений. Они не покидали поста и спали в тени церкви, чтобы никто не мог прокрасться за утешением без их ведома. А еще они знали доктора. Знали о его невежестве, жестокости, алчности, пороках и аппетитах. Знали, как неумело он делает аборты и как скупо раздает милостыню; видели, как вносят в церковь его мертвецов. А поскольку утренняя месса закончилась и особых доходов не ожидалось, нищие, эти неутомимые философы, стремящиеся до конца постичь природу своих ближних, тоже примкнули к процессии, дабы проверить, что станет делать толстый ленивый доктор с ужаленным ребенком.

Наконец нестройная процессия подошла к воротам докторского дома, за которыми слышался плеск воды, пение запертых в клетки птиц и шелест длинных метел по каменным плитам. Из окон доносился запах жарящегося бекона.

Кино замер в нерешительности. Доктор не принадлежал к их народу. Его соплеменники почти четыре сотни лет истязали, морили голодом, обкрадывали и презирали соплеменников Кино, держа их в таком страхе, что Кино, коренной житель этой земли, не смел подойти к дверям. Как и всегда, приближаясь к человеку этого народа, Кино чувствовал себя слабым, напуганным и в то же время обозленным. Внутри у него тесно переплелись ярость и страх. Ему легче было бы убить доктора, чем заговорить с ним, потому что все соплеменники доктора обращались со всеми соплеменниками Кино как с бестолковыми животными. Правой рукой Кино взялся за железное кольцо на воротах. В его душе бурлила ярость, зубы оскалились, а в ушах стучала музыка врага, но левой рукой он все-таки потянулся снять шляпу. Лязгнуло железное кольцо. Кино обнажил голову и приготовился ждать. На руках у Хуаны слабо застонал Койотито, и она что-то тихо ему зашептала. Зрители сгрудились плотнее, чтобы лучше видеть и слышать.

Створка больших ворот приоткрылась. В щель Кино увидел тенистую зелень сада и маленький фонтанчик. С той стороны на него смотрел человек его собственного народа, и Кино заговорил с ним на древнем наречии:

— Младенец, мой первенец, отравлен ядом скорпиона. Ему требуется искусство целителя.

Однако слуга не пожелал отвечать на том же наречии.

— Минуточку, — сказал он, — я доложу.

Слуга захлопнул ворота и задвинул засов. Палящее солнце отбрасывало на белую стену многоголовую тень толпы.

Доктор сидел в постели, завернувшись в привезенный из Парижа красный муаровый халат, который с недавних пор стал немного узок в груди, если застегнуть на все пуговицы. На коленях он держал серебряный поднос, где стояли серебряный кувшинчик с горячим шоколадом и крошечная чашечка китайского фарфора. Чашечка была настолько изящная, что смотрелась нелепо в пухлой докторской руке, когда он брал ее самыми кончиками большого и указательного пальцев, широко растопыривая остальные, чтобы не мешали. Глазки доктора утопали в жировых складках, а рот кривился от неудовольствия. За последние годы он сильно располнел, и голос у него сделался хриплым от давящего на горло жира. На столике рядом с кроватью лежал маленький гонг и стояла вазочка с сигаретами. Все в комнате казалось тяжелым, темным и мрачным. Картины — сплошь на религиозные темы, не исключая большой раскрашенной фотографии покойной докторской супруги, которая, если такое под силу многочисленным мессам, заказанным в соответствии с ее последней волей и на ее же собственные средства, пребывала теперь в раю. Когда-то доктору посчастливилось повидать большой мир, и всю его последующую жизнь наполняли воспоминания и тоска по Франции. «Вот что значит цивилизованная страна!» — любил повторять он, подразумевая под этим, что на небольшое жалованье он мог там позволить себе содержать любовницу и обедать в ресторанах.

Налив вторую чашку горячего шоколада, доктор раскрошил в руке сладкое печенье. Слуга-привратник остановился в дверях и стал ждать, когда на него обратят внимание.

— Да? — произнес доктор.

— Пришел индеец с ребенком. Говорит, малыша ужалил скорпион.

Прежде чем дать волю гневу, доктор осторожно поставил чашку на поднос.

— У меня что, дел других нет, как лечить покусанных насекомыми индейских детей? Я врач, а не ветеринар!

— Да, хозяин, — отозвался слуга.

— Деньги у него есть? Хотя откуда? У них никогда не бывает денег! В целом свете один я почему-то должен работать бесплатно, и мне это уже осточертело. Выясни, есть ли у него деньги.

Вернувшись к воротам, слуга приоткрыл одну створку и поглядел на стоящих снаружи людей. На этот раз он тоже заговорил на древнем наречии:

— Есть у вас деньги, чтобы заплатить целителю?

Из потайного места в складках одеяла Кино достал сложенную во много раз бумажку. Он бережно развернул ее: в ней лежало восемь мелких, неправильной формы жемчужин, серых и безобразных, как маленькие язвочки, сплющенных и почти ничего не стоящих. Слуга взял бумажку и снова запер ворота. На этот раз он отсутствовал недолго, а вернувшись, открыл створку ровно настолько, чтобы просунуть руку с бумажкой.

— Доктора нет, — объявил слуга. — Его срочно вызвали к больному.

И, сгорая со стыда, поспешно захлопнул ворота.

Волна стыда прокатилась и по толпе, рассеяла ее в разные стороны. Нищие вернулись на паперть, зеваки разбрелись кто куда, а соседи поскорее ушли, чтобы не смотреть на публичное унижение Кино.

Долго Кино стоял перед закрытыми воротами вместе с Хуаной. Наконец он медленно надел шляпу, которую все это время униженно держал в руке, и внезапно, без всякого предупреждения, обрушил на ворота мощный удар, а затем удивленно посмотрел на собственную руку — на разбитый кулак и сочащуюся между пальцами кровь.

II

Город стоял на берегу широкого речного устья, и его старинные, отделанные желтой штукатуркой здания дугой окаймляли песчаный пляж. На песке лежали привезенные из Наярита* белые с синим каноэ. Покрытые особой водонепроницаемой замазкой, секрет изготовления которой был известен только народу Кино, они могли прослужить не одно поколение. Борта у таких каноэ высокие, нос и корма грациозно изогнуты, а в центре лодки есть гнездо, куда вставляется мачта с маленьким треугольным парусом.

Вдоль воды тянулась полоса водорослей, ракушек и прочего мусора. В песчаных норках пускали пузыри крабы-скрипачи; на мелководье сновали маленькие омары, то вылезая из своих пещерок, то залезая обратно. На глубине обитало великое множество плавающих, ползучих и неподвижных существ. В легких подводных потоках раскачивались бурые водоросли и колыхалась зеленая морская трава, к стеблям которой цеплялись хвостами крошечные морские коньки. На дне лежали ядовитые пятнистые рыбы ботете, а через них карабкались нарядные крабы-плавунцы. По берегу бродили голодные собаки с голодными свиньями и без

---

* Наярит — штат на западе Мексики.

устали искали, не принесло ли приливом дохлой рыбы или дохлой птицы.

Хотя утро только начиналось, над заливом уже висело марево, увеличивая одни предметы и скрывая от взора другие. Местами море и суша проступали отчетливо, а местами расплывались, как в зыбком сновидении. Возможно, поэтому живущие по берегам залива люди верят тому, что являют им дух и воображение, но не надеются на собственные глаза, если нужно определить расстояние, очертания предмета или что-либо еще, требующее оптической точности. Одна роща мангровых деревьев на противоположном берегу речного устья виднелась ясно, как в телескоп, другая напоминала расплывчатую черно-зеленую кляксу. Вдали часть побережья исчезала в искрящейся дымке, которую легко было принять за воду. Полагаться на зрение не мог никто, и никто не мог с твердостью сказать, существует ли на самом деле то, что он видит, или нет. Под лучами солнца висящее над водой медное марево колебалось и мерцало так, что рябило в глазах.

Плетеные хижины стояли по правую руку от города, а перед ними тянулась полоса песка, куда вытаскивали лодки. Кино с Хуаной медленно спустились по берегу к тому месту, где лежало их старое каноэ — единственное, что имелось у Кино ценного в мире. Он получил эту лодку от отца, а тот — от деда, который когда-то привез ее из Наярита. Для Кино она была не просто собственностью, а средством прокормиться: если у мужчины есть лодка, женщина точно знает, что не будет голодать. Каждый год он заново покрывал ее водонепроницаемой замазкой, секрет изготовления которой тоже достался ему от отца. Кино подошел к лодке и, как обычно, бережно дотронулся до изогнутого носа. Он опустил на песок камень для ныряния, корзинку и две веревки, затем свернул одеяло и бросил в носовую часть.

Хуана уложила Койотито на одеяло и накрыла шалью, чтобы палящее солнце не напекло ему голову. Малыш больше не плакал, но его лицо горело, а опухоль продолжала разрастаться и уже расползлась по всей шее до самого уха. Хуана вошла в воду, набрала бурых водорослей, сделала плоский влажный компресс и приложила к распухшему плечу ребенка. Средство это было ничуть не хуже, а быть может, даже лучше любого лекарства, которое мог бы прописать доктор, однако ему не хватало весомости докторского авторитета — оно казалось слишком простым и не стоило ни гроша. Брюшные колики у Койотито пока не начались. Возможно, Хуана успела высосать яд, зато не высосала из сердца собственную тревогу за ребенка. Мать не молилась об исцелении ребенка напрямую — она молилась о том, чтобы найти жемчужину, которой можно будет расплатиться с доктором за лечение, ибо ум человеческий так же зыбок, как мираж над заливом.

Кино с Хуаной подтащили каноэ к самой кромке песка. Когда нос соскользнул на воду, Хуана забралась внутрь, а Кино столкнул лодку с берега и шел рядом, пока она не закачалась на легких волнах. Потом, слаженными движениями, они рассекли воду двухлопастными веслами, и каноэ со свистом полетело по воде. Остальные ловцы жемчуга давно уже вышли в море. Вскоре Кино заметил их в зыбком мареве над устричной банкой.

Свет проникал сквозь воду, освещая усыпанное сломанными ракушками дно, на котором лежали устрицы-жемчужницы. Именно эта устричная банка сделала короля Испании могущественной фигурой в Европе, именно она помогала оплачивать его войны и украшать церкви во спасение монаршей души. Серые раковины устриц были покрыты похожими на юбки оборками, облеплены крошечными рачками и водорослями, а сверху по ним карабкались маленькие крабы. По чистой случайности в такую раковину могла попасть песчинка — завалиться между мышечными складками и лежать, раздражая мягкое тело, пока в попытке защититься моллюск не обволакивал ее слоем гладкого перламутра. Однажды начатый, процесс уже не прекращался: устрица продолжала обволакивать инородный предмет все новыми и новыми слоями, пока его не вымывало водой или пока не погибал моллюск. Веками ловцы ныряли в море, отрывали устриц от дна и вскрывали оборчатые раковины в поисках покрытых перламутром песчинок. Целые стаи рыб жили вокруг банки, питаясь устричным мясом и теребя губами блестящую внутреннюю поверхность раковин. Однако жемчужина — это случайность; если нашел ее — значит, тебе улыбнулась удача, потрепал по спине то ли Бог, то ли боги, а может, и тот и другие.

С собой у Кино было две веревки: одна привязана к тяжелому камню, другая — к корзинке. Он стянул штаны с рубашкой и положил шляпу на дно каноэ. Поверхность моря казалась гладкой, как масло. Кино взял камень в одну руку, корзинку — в другую, перекинул ноги через борт и соскользнул вниз. Камень быстро утянул его на дно. За ним поднимался целый шлейф пузырей, но вскоре вода успокоилась, и Кино смог видеть. Над головой волнящимся зеркалом блестела поверхность моря, пробитая кое-где днищами лодок.

Кино двигался осторожно, чтобы не замутить воду илом и песком. Он продел ногу в петлю на конце привязанной к камню веревки и принялся быстро работать, отрывая устриц ото дна — то по одной, то по нескольку — и укладывая их в корзинку. Кое-где устрицы приросли друг к другу и отделялись целыми гроздьями.

Некогда народ Кино пел обо всем, что только существовало или происходило в мире; пел рыбам, морю спокойному и морю гневному, свету и тьме, луне и солнцу, и все эти песни звучали внутри у Кино и у людей его народа — все до одной, даже те, что давно забылись. И вот, пока Кино наполнял корзинку, внутри у него слышалась песня. Ритмом ей служил тяжелый стук сердца, пожирающего кислород из наполненных воздухом легких, а мелодией — серо-зеленая вода, снующие по дну морские создания и косяки рыб, которые проносились мимо и тут же исчезали. И была в этой песне еще одна, внутренняя песня, едва различимая, но сладостная, тайная и неотступная, почти незаметная за основной мелодией, песня найденной жемчужины, ведь каждая раковина в корзинке могла таить в себе жемчужину. Все шансы говорили «нет», однако удача и боги могли сказать «да». Кино знал: в каноэ у него над головой Хуана сидит с застывшим лицом и окаменелыми мускулами и творит магию молитвы, чтобы загнать удачу в угол, вырвать ее из рук у богов, потому что удача нужна ей для Койотито. И так велики были эта нужда и желание, что чуть слышная тайная мелодия жемчужины звучала сегодня особенно громко —

целые музыкальные фразы мягко и отчетливо вплетались в основную песню морского дна.

Кино, гордый, молодой и сильный, мог с легкостью оставаться под водой больше двух минут, поэтому работал не торопясь и выбирал только самых крупных моллюсков. Потревоженные его присутствием, все они держали раковины плотно закрытыми. Чуть справа возвышался каменистый бугорок, покрытый молодыми устрицами, собирать которых было еще рано. Кино подошел поближе. Рядом с бугорком, под небольшим выступом, он увидел огромную древнюю устрицу. Она лежала сама по себе, не облепленная собратьями. Под защитой маленького выступа ее раковина осталась слегка приоткрытой. Кино успел заметить, как среди складок похожей на губы мышцы что-то призрачно блеснуло, и раковина тут же захлопнулась. Сердце у него тяжело застучало, в ушах пронзительно взвизгнула мелодия жемчужины. Кино медленно отделил устрицу от морского дна и крепко прижал к груди, затем рывком высвободил ногу из петли и всплыл на поверхность. Его черные волосы заблестели на солнце. Он перегнулся через борт каноэ и положил находку на дно.

Пока он забирался внутрь, Хуана выравнивала каноэ. Глаза у Кино сияли от возбуждения, но ради приличия он все-таки поднял со дна сначала камень, затем корзинку с устрицами. Хуана чувствовала его возбуждение и делала вид, что смотрит в другую сторону. Нельзя желать чего-то слишком сильно: можно отпугнуть удачу. Желание должно быть большим, но не чрезмерным, чтобы не оскорбить Бога или богов. И все же Хуана почти не дышала. Нарочито медленно Кино раскрыл короткий прочный нож и задумчиво посмотрел на корзинку: не лучше ли оставить большую устрицу напоследок? Он достал из корзинки маленького моллюска, вскрыл раковину, обыскал складки мягкой плоти и выбросил в воду. Казалось, Кино заметил огромную устрицу только теперь. Он присел на корточки, взял ее в руку и внимательно осмотрел. К раковине приросло всего несколько рачков, а желобки на ней блестели черным и темно-коричневым. Кино не спешил ее открывать. Он знал: то, что ему привиделось, вполне может оказаться солнечным бликом, случайно попавшим внутрь осколком ракушки или просто миражом. В этом заливе мнимого света больше, чем настоящего.

Хуана не могла ждать.

— Открой, — тихо произнесла она и положила руку на покрытую шалью голову Койотито.

Кино ловко просунул лезвие между створками раковины — тело устрицы тут же напряглось. Орудуя ножом как рычагом, он перерезал соединяющую створки мышцу, и раковина развалилась пополам. Похожая на губы мышца судорожно дернулась и сразу опала. Кино приподнял ее, и его взгляду предстала великая жемчужина, совершенная, точно луна. Она вбирала свет, пропускала его сквозь себя, превращая в серебристое сияние, и снова излучала вовне. Жемчужина была крупная, не меньше яйца морской чайки, величайшая жемчужина в мире.

У Хуаны перехватило дыхание; она слабо застонала. А внутри у Кино тайная мелодия жемчужины зазвучала громко и отчетливо, полнозвучная, теплая и прекрасная, блистательная, победная и торжествующая. На поверхности великой жемчужины ему виделись образы сновидений и грез. Он достал ее из складок умирающей плоти и положил себе на ладонь. Повертел в пальцах — она была идеальна. Хуана подошла посмотреть на жемчужину в руке у мужа — той самой, которую он разбил о ворота докторского дома. От морской воды ободранные костяшки пальцев сделались серовато-белесыми.

Повинуясь инстинкту, Хуана вернулась туда, где лежал на отцовском одеяле Койотито. Она приподняла служившие компрессом водоросли и взглянула на плечо ребенка.

— Кино! — пронзительно вскрикнула Хуана.

Кино оторвал взгляд от жемчужины и увидел, что опухоль спадает — яд уходит из тела ребенка. Тогда Кино стиснул жемчужину в кулаке, и его захлестнуло. Он запрокинул голову и завыл. Глаза у него закатились, мускулы окаменели. Другие ловцы удивленно подняли головы, потом ударили веслами по воде и заспешили к нему.

III

Город — это единый организм, у которого есть нервы, голова, плечи и ноги. Каждый город существует отдельно и не похож ни на один другой. А еще у города есть свое настроение. Как распространяются в нем новости — неразрешимая загадка. Кажется, они разлетаются быстрее, чем бегают мальчишки; быстрее, чем женщины успевают поделиться ими через забор.

Прежде чем Кино с Хуаной добрались до дома, нервы города уже пульсировали и трепетали от возбуждения: Кино нашел величайшую жемчужину в мире! Запыхавшиеся мальчишки еще не успевали вымолвить ни слова, а их матери уже обо всем знали. Новость пронеслась над плетеными хижинами и пенной волной хлынула в город камня и штукатурки. Она достигла ушей священника, который прогуливался у себя в саду, подернула задумчивостью его взгляд и вызвала в памяти кое-какие починочные работы, которые не мешало бы провести в церкви. Святой отец прикинул, сколько могут дать за жемчужину, и попытался вспомнить, крестил ли он ребенка Кино. Да и обвенчаны ли Кино с Хуаной, если уж на то пошло?.. Новость докатилась до лавочников, и они тут же покосились на мужскую одежду, которая никак не желала распродаваться.

Новость дошла и до доктора, который сидел у постели женщины, чьей единственной болезнью был возраст, хотя и врач, и пациентка отказывались это признать. Когда доктор понял, кто такой Кино, лицо его сделалось одновременно строгим и рассудительным.

— Я знаю этого человека, — пояснил он. — Лечу его ребенка, ужаленного скорпионом.

Глазки доктора слегка закатились, и ему вспомнился Париж. Комната, которую он снимал, теперь казалась ему роскошными апартаментами, а жившая с ним женщина с надменным лицом — красивой и доброй девушкой, хотя на самом деле она не была ни тем, ни другим, ни третьим. Доктор уставился куда-то вдаль, мимо дряхлеющей пациентки, и ему представилось, будто он сидит в парижском ресторане, а официант как раз открывает бутылку вина.

Нищие с паперти услышали новость одними из первых и радостно захихикали: они знали, что никто так щедро не раздает милостыню, как внезапно разбогатевший бедняк.

Кино нашел величайшую жемчужину в мире. В городе, в тесных конторах, сидели дельцы, скупающие у ловцов жемчуг. Дождавшись, когда принесут товар, они принимались квохтать, спорить, кричать и угрожать, пока не доходили до самой низкой цены, какую только мог стерпеть владелец. Впрочем, была цена, ниже которой опускаться они не смели, потому что однажды какой-то ловец в порыве отчаяния пожертвовал жемчужины церкви. После заключения сделки, оставшись одни, скупщики беспокойно перебирали жемчуг и представляли, что он принадлежит им. Ведь это со стороны казалось, будто скупщиков много. На самом деле скупщик был всего один. Он нарочно держал посредников в разных конторах, чтобы создать видимость конкуренции. Новость дошла и до этих дельцов. Глаза у них тут же сощурились, а кончики пальцев начало слегка пощипывать. Всем пришла в голову одна и та же мысль: патрон не бессмертен, а значит, рано или поздно кому-то предстоит занять его место. И каждый подумал, что мог бы начать все заново, будь у него небольшой капиталец.

Самые разные люди интересовались теперь Кино — люди, у которых было что продать или о чем попросить. Кино нашел величайшую жемчужину в мире. Ее сущность смешалась с человеческой сущностью, и на дно выпал странный темный осадок. Внезапно каждый обнаружил, что жемчужина ему не безразлична. С ней связывались разнообразные мечты, надежды, расчеты, планы, стремления, потребности, желания, аппетиты и прихоти, и лишь один человек препятствовал их исполнению — Кино. Поэтому, как ни странно, он сделался всеобщим врагом. Новость подняла со дна города нечто бесконечно темное и злое, и эта черная эссенция была подобна скорпиону, или голоду, возбуждаемому запахом пищи, или же одиночеству, когда отказывают в любви. Городские железы начали вырабатывать яд, и от его давления город распух и вздулся.

Но Кино с Хуаной ни о чем не подозревали. Они были счастливы и взволнованы, а потому верили, что весь мир разделяет их радость — Хуан-Томас с Аполонией уж точно, а они ведь тоже часть мира. Вечером, когда солнце зашло за горы и готовилось опуститься во внешнее море, Кино с Хуаной сидели на корточках у себя в хижине, где стало тесно от набившихся туда соседей. Кино держал перед собой великую жемчужину, казавшуюся живой и теплой у него в руке. Ее музыка слилась теперь с музыкой семьи, от чего обе сделались еще прекраснее. Соседи смотрели на жемчужину в руке у Кино и недоумевали, откуда берется такое счастье.

Хуан-Томас, который сидел справа от Кино, так как приходился ему братом, спросил:

— И что же ты собираешься делать теперь, когда стал богачом?

Кино заглянул в глубь жемчужины, а Хуана опустила ресницы и прикрыла шалью лицо, чтобы никто не заметил ее возбуждения. В блеске жемчужины возникали образы всего того, о чем мечталось когда-то Кино и о чем он давно забыл даже думать как о несбыточном. Кино увидел в жемчужине, будто сам он, Хуана и Койотито преклоняют колени перед алтарем: они с Хуаной венчаются, ведь теперь им есть чем заплатить.

— Мы поженимся, — тихо произнес он. — В церкви.

Кино хорошо рассмотрел, во что они одеты: Хуана — в жесткую от новизны шаль и новую длинную юбку, из-под которой слегка видны ноги в туфлях. Все это явилось ему в жемчужине — вспыхнуло яркой картинкой. На самом Кино — белые одежды, в руке — шляпа, не соломенная, а из дорогого черного фетра. На нем тоже туфли — не сандалии, а настоящие туфли на шнурках! Но Койотито превзошел их обоих: на нем был синий матросский костюмчик из Соединенных Штатов и маленькая фуражка, какую Кино видел однажды, когда в устье реки вошла прогулочная лодка. Все это Кино разглядел в сияющей глубине жемчужины. Ее музыка грянула у него в ушах трубным хором, и он сказал:

— Мы накупим новой одежды.

Затем на поверхность серебристой жемчужины всплыли все те мелочи, которых так хотелось Кино: гарпун на смену тому, что потерялся в прошлом году, новый железный гарпун с кольцом на конце древка, и еще — его ум едва решился на подобный скачок — ружье. А почему бы и нет? Ведь он теперь сказочно богат! Кино увидел в жемчужине себя — себя с карабином «винчестер» в руках. Безумная мечта — и такая приятная. Его губы нерешительно дрогнули.

— Ружье, — выговорил он наконец. — Может быть, купим ружье.

Именно ружье окончательно смело последние преграды. Стоило Кино подумать о чем-то столь несбыточном, как все горизонты исчезли и он очертя голову бросился вперед. Недаром говорится, что люди никогда не бывают довольны: даешь им одно, а они просят еще. Говорится с осуждением, хотя на самом деле это один из величайших человеческих талантов: именно он позволил людям возвыситься над животными, которые всегда довольствуются тем, что имеют.

В ответ на безумные мечтания Кино соседи только молча кивали, а какой-то человек в задних рядах пробормотал:

— Ружье... У него будет ружье...

Музыка жемчужины звучала пронзительно и победоносно. Хуана посмотрела на Кино широко распахнутыми глазами — так поразила ее смелость мужа и его необузданное воображение. Теперь, когда горизонтов больше не осталось, на Кино снизошла несокрушимая сила. В жемчужине возник Койотито, сидящий за маленькой партой, — Кино как-то видел такие в открытую дверь школы. На Койотито была курточка, белый воротничок и широкий шелковый галстук. Мало того: он писал на большом листе бумаги!

Кино вызывающе глянул на соседей.

— Мой сын пойдет в школу! — объявил он, и все тут же притихли.

У Хуаны перехватило дыхание. Глаза у нее сияли. Она быстро глянула на сына, желая проверить, возможно ли это.

Лицо Кино озарилось провидческим светом.

— Мой сын сможет открывать и читать книги, писать и понимать написанное, научится складывать числа. И все это сделает нас свободными, потому что он будет знать — он будет знать, и через него мы тоже будем знать.

В жемчужине Кино увидел, как они с Хуаной сидят у очага, а Койотито читает им из большой книги.

— Вот, что сделает жемчужина, — подытожил Кино. Никогда в жизни он не произносил столько слов сразу.

Внезапно Кино испугался собственных речей. Его рука сжалась в кулак, отрезав жемчужину от света. Он испугался, как пугается человек, который произносит: «Так будет», сам не зная, что говорит.

Соседи понимали, что сделались свидетелями великого чуда. Отсчет времени станет теперь вестись от того дня, когда Кино нашел жемчужину, а его пророчество будут обсуждать еще многие годы. Если предсказанное Кино сбудется, люди вспомнят, как он выглядел, что говорил, как сияли его глаза, и скажут: «Он словно преобразился — какая-то сила на него снизошла. Сами знаете, что за великий человек он теперь, а началось все именно тогда — сам видел».

Если же замыслам Кино не суждено осуществиться, те же самые соседи будут говорить: «Тогда-то все и началось. Кино впал в безумие и наговорил много безумных слов. Храни нас Бог от такой напасти! Да, Бог покарал Кино за то, что он взбунтовался против существующих порядков. Сами знаете, что с ним сталось. А в тот день я своими глазами видел, как он лишился разума».

Кино взглянул на свою стиснутую в кулак руку. Костяшки пальцев, разбитые о ворота докторского дома, были покрыты коростой.

Сумерки сгущались. Хуана усадила Койотито на бедро и примотала к себе шалью. Потом подошла к очагу, отыскала в золе уголек, наломала хвороста и раздула огонь. Неверный свет заплясал на лицах гостей. Соседи знали, что пора возвращаться домой, к собственному очагу, но уходить не спешили.

Почти стемнело, и огонь в очаге отбрасывал на стены черные тени. Внезапно по хижине пронесся шепот:

— Святой отец идет... священник идет.

Мужчины обнажили голову и посторонились, а женщины прикрыли шалью лицо и потупили глаза. Кино и Хуан-Томас встали. Вошел священник — седеющий мужчина со старым лицом и молодым взглядом. «Дети мои» называл он этих людей и обращался с ними как с детьми.

— Кино, — негромко проговорил он, — ты носишь имя великого человека — великого отца церкви*.

Святой отец произнес это таким тоном, словно давал благословение.

— Известно ли тебе, что твой соименник укротил пустыню и смягчил сердца вашего народа? Об этом сказано в книгах.

Кино быстро глянул на Койотито, висящего на бедре у Хуаны. «Когда-нибудь, — пронеслось у него в голове, — этот мальчик будет точно знать, что сказано в книгах, а что нет». Музыка жемчужины смолкла, на смену ей медленно вкралась утренняя мелодия, музыка зла, музыка врага, слабая и едва различимая. Кино

---

* Кино, Эусебио Франсиско (1645—1711) — итальянский миссионер, монах Ордена иезуитов, путешественник, астроном, картограф, географ. Известен своей миссионерской деятельностью среди индейцев.

обвел глазами соседей, пытаясь определить, кто из них принес с собой эту мелодию.

И снова заговорил священник:

— Мне было сказано, что ты нашел великое богатство — великую жемчужину.

Кино разжал кулак, и священник тихо ахнул, пораженный размером и красотой жемчужины.

— Надеюсь, сын мой, ты не забудешь возблагодарить того, кто даровал тебе это сокровище; не забудешь помолиться о наставлении.

Кино только молча кивнул. Вместо него ответила Хуана:

— Мы не забудем, святой отец. А еще мы обвенчаемся — Кино сам так сказал.

Она повернулась к соседям за подтверждением, и они торжественно закивали.

— Радостно видеть, что ваши первые мысли — благие мысли, — сказал священник. — Да благословит вас Бог, дети мои!

Он медленно направился к выходу, и люди расступились, пропуская его.

Рука Кино снова сжалась в кулак, и он подозрительно огляделся по сторонам: в ушах у него, заглушая мелодию жемчужины, вновь звучала песня зла.

Молча разошлись по домам соседи. Хуана присела рядом с очагом и поставила на огонь глиняный горшок с вареными бобами. Кино шагнул к дверям и выглянул наружу. Как и всегда, он почувствовал запах дыма от многих очагов, увидел туманные звезды, ощутил лицом сырой ночной воздух и прикрыл от него нос. Подошел худой щенок и начал приветственно пританцовывать, словно мотающийся на ветру флаг. Кино посмотрел на него невидящим взглядом. Он сокрушил последние горизонты и теперь стоял в холодной пустоте, одинокий и незащищенный. В стрекоте сверчков, трелях древесных лягушек и жабьем кваканье ему слышалась мелодия зла. Кино поежился и плотнее закрыл нос одеялом. Он все еще сжимал в кулаке жемчужину, гладкую и теплую на ощупь.

Кино слышал, как Хуана прихлопывает ладонью лепешки, прежде чем бросить их на глиняный противень. Спиной он ощущал тепло и незыблемость семьи — ее мелодия доносилась из хижины, словно мурлыканье котенка. Когда Кино объявил, что ждет его в будущем, он создал это будущее. План — нечто реальное. Вообразить — значит прожить и прочувствовать. Однажды задуманное становится фактом действительности — таким же, как все прочие. Его невозможно уничтожить, однако опасность грозит отовсюду. Будущее Кино тоже сделалось чем-то реальным, и едва он объявил о своих замыслах, как враждебные силы вознамерились ему помешать. Кино знал об этом и готовился к нападению. А еще он знал, что боги не любят ни людских замыслов, ни людских успехов.

Боги мстят человеку, который достиг чего-то своими силами, а не по воле случая. Поэтому Кино боялся строить планы, но однажды зародившийся план уничтожить уже не мог. В предчувствии нападения Кино постепенно покрывался толстой шкурой, чтобы защититься от мира. Его глаза и ум начали прощупывать темноту в поисках опасности еще прежде, чем она появилась.

Кино заметил, что к дому приближаются двое. У одного в руке был фонарь, освещавший землю и ноги непрошенных гостей. Они завернули в калитку и подошли к хижине. В одном Кино узнал доктора, в другом — слугу, который открыл ему утром ворота. При виде их разбитый кулак Кино словно ошпарило.

— Меня не было дома, когда вы приходили, — сказал доктор. — Я пришел как только смог и сейчас же осмотрю ребенка.

Кино стоял в дверном проеме, загораживая проход, а в глубине его глаз пылала ненависть — ненависть и страх, который глубоко вогнали в него сотни лет притеснения.

— Ребенок почти поправился, — отрывисто произнес он.

Доктор улыбнулся, однако его заплывшие глазки не улыбались.

— Иногда, друг мой, яд скорпиона действует довольно причудливым образом. Сначала наступает улучшение, а потом — паф!

Он издал похожий на выстрел звук, чтобы изобразить, как внезапно это происходит, а затем подставил свой черный докторский чемоданчик под луч фонаря, потому что знал: народ Кино любит орудия любого труда и доверяет им.

— Иногда, — текучим голосом продолжал доктор, — у больного отсыхает нога, слепнет глаз или вырастает горб. О, я знаю, что такое яд скорпиона, друг мой, и умею от него лечить.

Кино почувствовал, как ярость и ненависть превращаются в страх. Доктору, быть может, многое ведомо. Кино не имел права ставить собственное бесспорное невежество против возможного докторского знания. Он оказался в ловушке, в которую вечно ловили и будут ловить людей его народа — до тех пор, пока, как выразился Кино, они не смогут быть уверены, что написанное в книгах действительно в них написано. Кино не желал рисковать — только не жизнью или прямой спиной Койотито. Он посторонился, давая доктору и слуге пройти.

Хуана встала и попятилась, прикрывая лицо Койотито краем шали. А когда доктор приблизился и протянул к малышу руку, она только крепче прижала его к себе и посмотрела на Кино, по лицу которого метались отбрасываемые огнем тени. Он кивнул, и лишь тогда Хуана позволила взять малыша.

— Посвети, — приказал доктор.

Слуга поднял фонарь, и в его свете доктор бегло оглядел ранку на плече Койотито. Он ненадолго задумался, затем оттянул сопротивляющемуся ребенку веко и осмотрел глазное яблоко.

— Так я и думал, — кивнул доктор. — Яд проник внутрь и скоро начнет действовать. Видите? Оно посинело.

И встревоженный Кино в самом деле увидел, что глазное яблоко у Койотито слегка синеватое. Он не знал, всегда ли оно было таким или нет. Ловушка захлопнулась — рисковать нельзя.

Заплывшие глазки доктора слегка увлажнились.

— Я дам ему лекарство — попробую остановить яд, — сказал он и отдал Кино ребенка.

Доктор вынул из чемоданчика склянку с белым порошком, насыпал порошка в желатиновую капсулу и закрыл ее, затем вставил первую капсулу во вторую и тоже закрыл. Действовал он очень умело: взял Койотито на руки и принялся щипать за нижнюю губу, пока малыш не открыл рот. Тогда доктор положил капсулу ему на язык — так близко к корню, что Койотито не мог ее выплюнуть, — поднял с пола кувшинчик с пульке и дал ему выпить. Дело было сделано. Доктор снова осмотрел глазное яблоко малыша и поджал губы, как бы в раздумье.

Наконец он вернул ребенка Хуане и обратился к Кино:

— Яд нанесет удар где-то через час. Возможно, лекарство убережет ребенка от беды, но я все равно вернусь. Надеюсь, я успею его спасти.

Доктор тяжело вздохнул и вышел из хижины. Слуга с фонарем последовал за ним.

Хуана прикрыла ребенка шалью и теперь смотрела на него с тревогой и страхом. Кино приблизился, приподнял шаль и пристально поглядел на сына. Он протянул было руку, чтобы оттянуть ему веко, но тут заметил, что все еще сжимает в руке жемчужину. Тогда Кино достал из ящика у стены какое-то тряпье, завернул в него жемчужину, пальцами вырыл в земляном полу ямку, положил туда сверток, присыпал землей и тщательно замаскировал тайник. Затем он подошел к очагу, у которого, не отрывая глаз от ребенка, сидела Хуана.

У себя дома доктор удобно устроился в кресле и положил перед собой часы. Слуги принесли легкий ужин — горячий шоколад, пирожные и фрукты, — и он брезгливо уставился на еду.

В соседских домах обсуждалась тема, вокруг которой предстояло еще долго вертеться всем разговорам. Сегодня ее обкатывали впервые, чтобы проверить, хорошо ли пойдет. Соседи показывали друг другу, как велика жемчужина; слегка поглаживали палец о палец, изображая, как она прекрасна. Теперь они станут внимательно следить, не вскружит ли богатство Кино с Хуаной голову, как это обычно бывает. Все знали, зачем приходил доктор. Он плохо умел притворяться, и ему не удалось никого провести.

Плотный косяк мелких рыбешек рассекал воду речного устья, блестя чешуей и пытаясь уйти от налетевшей стаи крупных рыб. Пока продолжалась бойня, в хижинах было слышно, как тихо плещутся маленькие рыбы и тяжело бьют по воде большие. Сырой воздух поднялся от залива и осел солеными каплями на кусты, кактусы и коренастые деревца. По земле сновали мыши, которых бесшумно преследовали ночные птицы.

Худой черный щенок с огненно-рыжими пятнами над глазами подошел к хижине и заглянул в дверь. Когда Кино поднял на него глаза, он принялся отчаянно вилять задом, но стоило хозяину отвернуться, тут же перестал. Щенок не осмелился войти, зато с живейшим интересом наблюдал, как Кино съел бобы, вытер глиняную миску кукурузной лепешкой и тоже отправил ее в рот, а напоследок выпил пульке.

Кино покончил с ужином и как раз сворачивал самокрутку, когда Хуана окликнула его по имени. Он тут же встал и подошел к жене, потому что заметил в ее глазах испуг. Кино склонился над ней, но в хижине было слишком темно. Тогда он пинком отправил в огонь кучу хвороста. Взметнулось пламя, и в его свете Кино увидел лицо Койотито. Щеки ребенка горели, горло часто сокращалось, а по губе стекала струйка вязкой слюны. Потом желудок малыша свело спазмом, и его вырвало.

Кино встал на колени подле жены.

— Значит, доктор все-таки знает, — сказал он — столько же себе, сколько Хуане. В уме у него роились подозрения: ему вспомнился белый порошок.

Хуана раскачивалась из стороны в сторону и заунывно тянула песню семьи, словно этим могла отвратить опасность, а ребенок у нее на руках корчился в рвотных судорогах. В душу Кино закралась неуверенность; в голове, заглушая собой песню Хуаны, стучала музыка зла.

Доктор допил шоколад и подобрал оставшиеся от пирожных крошки. Затем вытер пальцы салфеткой, взглянул на часы, встал и взял чемоданчик.

Весть о болезни ребенка тут же облетела всю деревню, ведь болезнь — злейший враг бедняков, хуже которого только голод.

— Удача не приходит одна, — вполголоса заметил кое-кто из соседей. — Всегда приводит с собой коварных друзей.

Остальные согласно закивали и поднялись с места, чтобы проведать Кино с Хуаной. Прикрывая носы от ночного воздуха, они спешили сквозь тьму, пока вновь не набились в хижину Кино. Соседи стояли и глазели, сокрушаясь, что несчастье пришло в такой радостный час. «Все в руках Божьих!» — вздыхали они. Старухи окружили Хуану, чтобы предложить ей помощь, если сумеют, и утешение, если нет.

И тут в хижину, сопровождаемый слугой, ворвался доктор. Он разогнал старух, словно кур, взял ребенка на руки, осмотрел и пощупал ему лоб.

— Яд нанес удар, — объявил он. — Думаю, я сумею его побороть. Сделаю все, что в моих силах.

Доктор попросил подать воды, добавил в чашку три капли аммиака, открыл ребенку рот и влил питье. Койотито закашлялся и запищал, а Хуана только смотрела на него затравленными глазами. Не отрываясь от работы, доктор сказал:

— Вам повезло, что я умею лечить от скорпионьего яда, иначе...

Он пожал плечами, давая понять, что бы случилось иначе.

Кино не покидали подозрения. Он не сводил глаз с открытого чемоданчика, где лежала склянка с белым порошком. Постепенно спазмы прекратились, и Койотито затих. Он глубоко вздохнул и уснул, утомленный изнурительной рвотой.

Доктор положил ребенка Хуане на руки.

— Теперь он поправится. Я выиграл бой.

В ответ Хуана с обожанием посмотрела на него.

Закрывая чемоданчик, доктор спросил:

— Когда вы сможете оплатить счет?

Спросил почти ласково.

— Как только продам жемчужину, — ответил Кино.

— У вас есть жемчужина? И большая? — поинтересовался доктор.

Тут вмешались соседи.

— Он нашел величайшую жемчужину в мире! — наперебой закричали они, соединяя большой палец с указательным, чтобы продемонстрировать, как она велика. — Кино станет богачом! Такой жемчужины еще никто не видел.

Доктор удивлённо приподнял брови.

— А я даже ничего не слышал! Вы надежно спрятали эту жемчужину? Хотите, положу ее в свой несгораемый шкаф?

Кино сощурил глаза и стиснул зубы.

— Жемчужина в надежном месте. Завтра я продам ее и расплачусь с вами.

Доктор пожал плечами. Его влажные глазки не отрываясь следили за Кино. Он знал, что жемчужина зарыта где-то в хижине, и выжидал, не взглянет ли Кино в сторону тайника.

— Жаль, если жемчужину украдут прежде, чем вы успеете ее продать, — заметил доктор, и Кино невольно покосился на пол у подножия боковой опоры.

Когда доктор ушел, а соседи неохотно разбрелись по домам, Кино присел рядом с тлеющими углями в очаге и прислушался к звукам ночи — к тихому плеску волн и далекому собачьему лаю, к шелесту ветра в крыше. Из соседних хижин долетал приглушенный гул голосов — люди этого народа не спят беспробудным сном, а то и дело просыпаются, разговаривают немного и снова засыпают. Через некоторое время Кино встал и подошел к дверям. Он принюхался, послушал, не крадется ли кто, и пристально вгляделся в ночь, потому что в голове у него звучала мелодия зла. Кино был насторожен и чего-то опасался. Прощупав темноту всеми органами чувств, он подошел к боковой опоре и откопал жемчужину. Затем отодвинул циновку, вырыл новую ямку, опустил туда жемчужину, засыпал землей и опять накрыл сверху циновкой.

Сидящая у очага Хуана вопросительно смотрела на мужа, а когда он закончил, спросила:

— Кого ты боишься?

Кино задумался, пытаясь найти истинный ответ, и наконец произнес:

— Всех.

Вокруг него смыкалась непроницаемая раковина.

Через некоторое время они оба легли на циновку. Этой ночью Хуана не стала укладывать малыша в ящик, а устроила рядом с собой, обняла и накрыла шалью.

Угли в очаге совсем потухли, но ум Кино продолжал гореть даже во сне. Ему снилось, что Койотито умеет читать — что человек из его собственного народа может рассказать ему, где правда. Койотито читал огромную, как дом, книгу с большими, точно собаки, буквами. Буквы резвились и прыгали по странице. Затем по бумаге разлилась темнота, а с ней вновь пришла мелодия зла, и Кино заворочался во сне. Хуана почувствовала это, открыла глаза, и Кино тут же проснулся. Внутри у него по-прежнему пульсировала мелодия зла. Он лежал в темноте и чутко прислушивался.

Из угла хижины донесся шорох — такой тихий, что можно было принять его за мысль, за легкое вороватое движение, осторожные шаги по земляному полу или почти неразличимый свист сдерживаемого дыхания. Кино перестал дышать и напряг слух. Он знал: чем бы ни было то темное существо, что пробралось к нему в дом, оно сейчас тоже не дышит и слушает. Какое-то время из угла не долетало ни звука. Кино уже готов был подумать, что ему почудилось, но тут рука Хуаны предостерегающе дотронулась до его плеча, а шорох повторился — шорох осторожных шагов и скребущих по сухой земле пальцев.

Кино захлестнул отчаянный страх, а вслед за страхом, как обычно, пришла ярость. Его рука нащупала висящий на груди нож. Кино подскочил, словно разъяренная кошка, и с шипением прыгнул на темное существо, которое, он знал, притаилось в углу. Пальцы Кино ухватили ткань. Он ударил, промахнулся и снова ударил. Нож распорол ткань, и тут в глазах у Кино сверкнула молния, а голова затрещала от боли. Что-то метнулось к двери, послышался топот бегущих ног, и все стихло.

По лбу у Кино текла теплая струйка крови.

— Кино! Кино! — со страхом в голосе звала Хуана.

Безразличие овладело им так же внезапно, как до того ярость.

— Все хорошо, — сказал Кино. — Он сбежал.

Кино ощупью вернулся на циновку. Хуана уже хлопотала у очага. Она нашла уголек, накрошила сверху кукурузных листьев и раздула огонь. Хижину осветил неверный свет. Из потайного места Хуана достала огарок освященной свечи, зажгла его от огня и поставила на камень рядом с очагом. Работала она быстро, что-то напевая себе под нос. Хуана обмакнула угол шали в воду и вытерла кровь со лба у Кино.

— Это ничего, — сказал он, но взгляд и голос у него сделались жесткими и холодными, а внутри закипала угрюмая ненависть.

Губы у Хуаны были плотно сжаты. Нараставшее внутри напряжение наконец выплеснулось наружу, и она хрипло воскликнула:

— Эта жемчужина словно грех! В ней скрыто зло. Она нас погубит.

Голос Хуаны сорвался на крик.

— Избавься от нее, Кино! Давай разотрем ее между двух камней, зароем и забудем куда, выбросим обратно в море. Эта жемчужина принесла с собой зло. Кино, муж мой, она нас погубит!

Губы Хуаны дрожали, глаза полнились страхом.

Но лицо Кино было неподвижно, а ум и воля неколебимы.

— Для нас это единственная надежда, — ответил он. — Наш сын должен ходить в школу — должен вырваться из того сосуда, в котором мы заточены.

— Эта жемчужина всех нас погубит! — отчаянно повторила Хуана. — Даже нашего сына.

— Молчи, — сказал Кино. — Не надо больше слов. Утром мы продадим жемчужину, и все плохое уйдет — останется только хорошее. А теперь молчи, жена.

Темные глаза Кино мрачно уставились в огонь. Вдруг он заметил, что все еще держит в руке нож. На стали темнела узкая полоска крови. Кино хотел было вытереть лезвие о штаны, но вместо этого вонзил нож в землю и так очистил его.

Вдали запели петухи. Воздух переменился: близился рассвет. Утренний ветер покрыл рябью гладь речного устья, зашелестел в кронах мангровых деревьев. Все быстрее и быстрее бились о берег легкие волны. Кино поднял циновку, откопал жемчужину и положил ее перед собой.

В тусклом свете свечи жемчужина мерцала и подмигивала. Красота ее одурманивала мозг. Как прекрасна она была, как изысканна! От нее исходила особая музыка — музыка радости и надежды, залог безмятежного будущего, безопасности и комфорта. Теплое сияние жемчужины сулило подарить микстуру от всех болезней и защиту от любых обид. Оно не позволит голоду переступить порог их дома. Лицо Кино смягчилось, глаза потеплели. В туманной глубине жемчужины отражался огонек освещенной свечи, а в ушах у Кино снова звучала чарующая музыка морского дна, мелодия рассеянного зеленого света. Хуана украдкой взглянула на мужа и увидела, что он улыбается. А так как они в каком-то смысле были одним целым, одним устремлением, она тоже улыбнулась.

Этот день они начали с надеждой.

IV

Удивительно, как маленький город узнает обо всем, что происходит с ним и с каждой его единицей. Если мужчина или женщина, ребенок или младенец ведет себя привычным образом, не ломает возведенных стен, ни с кем не ссорится, не занимается нововведениями, не болеет и ничем не нарушает душевного спокойствия и размеренного течения городской жизни, то о нем можно забыть и никогда больше не вспоминать. Но если хотя бы один человек выходит за рамки знакомого и проверенного, нервы жителей начинают звенеть от возбуждения, а по нервным волокнам города передается сигнал. Каждая единица оповещает целое.

С самого утра весь Ла-Пас уже знал, что сегодня Кино идет продавать жемчужину. Знали ловцы жемчуга в плетеных хижинах и владельцы китайских лавок, знали церковные служки, которые только о том и шептались. Новость просочилась даже в женский монастырь. О ней судачили нищие с паперти, готовясь собрать десятину с первых плодов удачи. О ней прослышали взбудораженные мальчишки, а главное — скупщики жемчуга. Когда настал день, каждый скупщик уже сидел у себя в конторе наедине с маленьким, обтянутым черным бархатом подносом и рассеянно катал по нему жемчужины, обдумывая свою роль в общем замысле.

Считалось, что скупщики действуют самостоятельно и соревнуются друг с другом за приносимый ловцами жемчуг. Когда-то так и было. Но метод оказался слишком убыточным: порой, торгуясь за первосортную жемчужину, скупщики увлекались и предлагали ловцу чересчур высокую цену — непростительное расточительство! Теперь остался только один скупщик со множеством посредников, и каждый из них, сидя в своей конторе в ожидании Кино, точно знал, какую цену предложит, насколько ее поднимет и что за тактику будет использовать. Хотя посредники прекрасно понимали, что не получат ничего сверх обычного жалованья, их охватил азарт, потому что охота — дело азартное, и если твоя задача — сбить цену, то изволь получать радость и удовлетворение от того, чтобы сбить ее как можно ниже. Каждый человек в мире делает все, на что способен, и никак не меньше, пусть сам он иного мнения. Даже не получая ничего — ни награды, ни похвалы, ни повышения по службе, — скупщик жемчуга всегда остается скупщиком, а лучший и счастливейший скупщик — это тот, кто покупает по самой низкой цене.

Солнце в то утро встало желтое и горячее. Оно вытягивало влагу из речного устья и залива и развешивало над водой мерцающие вуали, так что воздух колебался, а предметы казались зыбкими и нереальными. К северу от города висел мираж — призрак горы, до которой было больше двухсот миль пути. Склоны горы поросли соснами, а выше вздымалась голая каменная вершина.

В это утро каноэ остались лежать на берегу. Ловцы не отправились в море за жемчугом: Кино собирался в город продавать великую жемчужину, а значит, будет на что посмотреть.

За завтраком соседи Кино долго обсуждали, как бы поступили, если бы это им посчастливилось найти жемчужину. Один сказал, что поднес бы ее в дар его святейшеству Папе Римскому. Другой распорядился бы тысячу лет служить заупокойные мессы по всей своей семье. Третий раздал бы деньги беднякам Ла-Паса. А четвертый принялся подсчитывать, сколько добрых дел можно было бы совершить, сколько милостыни раздать, сколько пенсий назначить и людей спасти, будь только у него деньги. Все надеялись, что внезапное обогащение не вскружит Кино голову, не сделает из него толстосума, не привьет ему ядовитые побеги жадности, ненависти и равнодушия, ведь Кино — человек замечательный и всеми любимый. Не дай Бог жемчужина его погубит!

— А его добродетельная жена Хуана? — говорили соседи. — А чудный малыш Койотито и другие детишки, которые скоро пойдут? Какая жалость, если жемчужина всех их погубит!

Кино с Хуаной сегодняшний день казался величайшим в жизни, сравнимым разве что с тем днем, когда родился Койотито. От него станут отсчитываться все остальные, и они будут говорить: «Это случилось за два года до того, как мы продали жемчужину» — или: «Это произошло через полтора месяца после продажи жемчужины». Хуана, все тщательно взвесив, махнула рукой на осторожность и нарядила Койотито в костюмчик, который берегла на крестины. Сама она надела свою свадебную юбку с рубашкой, а волосы расчесала, заплела в две косы и перевязала концы красными лентами. Солнце успело проделать четверть пути до полудня, пока они собирались. Белая поношенная одежда Кино была, по крайней мере, тщательно выстирана. В любом случае это последний день, когда он ходит в лохмотьях. Завтра, а может быть, даже сегодня вечером у него появится новый костюм.

Соседи, следившие за дверью Кино сквозь плетеные стены собственных хижин, тоже собрались и готовились тронуться в путь. Они нисколько не скрывали, что хотят присоединиться к Кино с Хуаной. Это казалось им в порядке вещей, тем более в такой исторический момент. Только сумасшедший не пожелал бы при нем поприсутствовать. Не пойти было бы просто не по-дружески.

Хуана аккуратно накинула на голову шаль, пропустила одну половину под правым локтем, а конец взяла в руку, так что получился маленький гамачок. В него она усадила Койотито, чтобы он смог все увидеть, а может быть, даже запомнить. Кино нахлобучил широкополую соломенную шляпу и проверил рукой, правильно ли надета: не сдвинута на затылок и не заломлена набекрень, как у легкомысленного, безответственного, холостого юнца, но и не сидит точно на макушке, словно у старика, а слегка сдвинута на лоб, дабы показать, что владелец ее — мужчина зрелый, серьезный и решительный. Очень многое можно сказать о человеке по тому, как он носит шляпу. Кино сунул ноги в сандалии, натянул ремешки на пятки. Жемчужину он завернул в старый кусок мягкой оленьей кожи и спрятал в маленький кожаный мешочек, а мешочек положил в карман рубашки. Одеяло свернул ровной узкой полоской и повязал через левое плечо. Пора было трогаться в путь.

Кино величественно шагнул за порог. Вслед за ним, неся в шали Койотито, появилась Хуана. Когда они вышли на ведущую в город дорогу, свежеомытую недавним приливом, за ними потянулись соседи. Дома изрыгали потоки взрослых и по одному выплевывали детей. Соседи чувствовали важность происходящего, поэтому только один человек пристроился идти рядом с Кино — его брат Хуан-Томас.

— Смотри, как бы тебя не обманули, — предостерег Хуан-Томас.

— Смотреть надо в оба, — согласился Кино.

— Мы даже не представляем, по каким ценам покупают жемчуг в других местах. Откуда нам знать, что с нами поступают честно? Мы ведь понятия не имеем, сколько получит за жемчужину перекупщик.

— Твоя правда, — отозвался Кино. — Но как тут узнаешь? Мы же не в другом месте — мы здесь.

По мере того как они приближались к городу, толпа у них за спиной разрасталась, а Хуан-Томас продолжал говорить — просто от волнения.

— Еще до твоего рождения, Кино, старики придумали, как получать за жемчуг больше. Они решили найти посредника, который будет отвозить жемчуг в столицу, продавать и забирать только свою долю прибыли.

— Знаю, — кивнул головой Кино. — Хорошая мысль.

— И вот они нашли такого посредника, отдали ему весь жемчуг и отправили в путь. Больше о нем ничего не слышали. Выбрали другого человека, отправили в путь и тоже ничего о нем больше не слышали. Тогда старики отказались от этой затеи и вернулись к старому порядку.

— Знаю, — ответил Кино. — Слышал от отца. Хорошая затея, но неправедная — священник это ясно растолковал. Потеря жемчуга стала карой, ниспосланной на тех, кто не желал довольствоваться своей участью. Святой отец говорит, что каждый человек — солдат, поставленный Богом охранять некую часть вселенского замка. Одни стоят на крепостном валу, другие — в толще стен. И все должны оставаться на посту, а не бегать туда-сюда, иначе адские силы могут взять замок приступом.

— Я тоже слышал эту проповедь. Он читает ее каждый год.

Братья слегка прищурили глаза, как прищуривали до них деды и прадеды — с тех самых пор, когда приплыли чужаки, вооруженные доводами, превосходством, а также порохом, чтобы подкрепить и то и другое. За четыре сотни лет народ Кино нашел только одно средство защиты — слегка прищурить глаза, слегка поджать губы и уйти в себя. Ничто не в силах было пробить эту стену, а за стеной они оставались целыми и невредимыми.

Процессия двигалась в торжественном молчании, чувствуя всю важность сегодняшнего дня, и если кто-нибудь из детей пытался затеять драку, поднять шум, закричать, сорвать с приятеля шляпу или взъерошить ему волосы, взрослые тут же принимались шикать. День этот был настолько важен, что какой-то старик, не пожелавший ничего пропустить, отправился в путь, восседая на могучих плечах племянника. Процессия оставила позади плетеные хижины и вошла в город из камня и штукатурки, где улицы были немного шире, а вдоль зданий тянулся узкий тротуар. Как и в прошлый раз, возле церкви к толпе присоединились нищие с паперти, лавочники глядели ей вслед, и даже владельцы пивнушек, растеряв посетителей, закрывали свои заведения и тоже пристраивались в хвост. Солнце над городом палило так немилосердно, что каждый камень отбрасывал тень.

Весть о приближающейся процессии опережала ее ход, поэтому скупщики в маленьких конторах заранее напряглись и приготовились. Они разложили на столе бумаги — пускай Кино застанет их за работой — и спрятали жемчуг в ящик: нельзя, чтобы второсортную жемчужину увидели рядом с настоящим сокровищем, а слухи о красоте великой жемчужины уже дошли и до них. Конторы скупщиков теснились на одной узкой улочке. На окнах стояли решетки и висели деревянные жалюзи, так что внутри царил мягкий полумрак.

В одной такой конторе сидел полный медлительный человек с добродушным, отечески ласковым лицом и приветливо блестящими глазами, любитель громких приветствий и церемонных рукопожатий, весельчак, знающий уйму шуток, однако способный в любой момент перейти от веселья к печали: не успев отсмеяться, он мог внезапно вспомнить о кончине вашей тетушки, и тогда глаза его увлажнялись от сострадания. В то утро он поставил на стол вазу с единственным цветком, ярко-красным гибискусом, и пододвинул ее поближе к обтянутому черным бархатом подносу для жемчуга. Подбородок у него был выбрит до синевы, руки тщательно вымыты, ногти отполированы. Дверь в контору стояла открытой навстречу утреннему солнцу, а сам хозяин что-то мурлыкал себе под нос, упражняясь в ловкости рук. Он катал монету по тыльной стороне пальцев, заставляя ее появляться и исчезать, сверкать и вертеться. Монета возникала и тут же пропадала из виду, хотя фокусник даже не смотрел на нее. Пальцы делали все сами, работая с механической точностью, а он тем временем мурлыкал себе под нос и то и дело поглядывал на дверь. Затем раздался мерный топот приближающейся толпы, и пальцы начали двигаться все быстрее и быстрее. Когда же на пороге появился Кино, монета вспыхнула и исчезла.

— Доброе утро, друг мой, — произнес толстый скупщик. — Чем могу быть полезен?

Кино уставился в сумрак конторы, щурясь после яркого солнечного света. Лицо скупщика расплылось в приветливой улыбке, но взгляд сделался неподвижным, холодным и немигающим, как у ястреба, а правая рука под столом продолжала упражняться в ловкости.

— Я принес жемчужину, — сказал Кино.

Хуан-Томас даже слегка фыркнул, так обыденно это прозвучало. Стоящие позади братьев соседи старательно тянули шеи, чтобы ничего не упустить. Мальчишки — целая ватага — забрались на окно и теперь глазели сквозь решетку, а самые маленькие встали на четвереньки и выглядывали из-за ног у Кино.

— Жемчужину, говорите? — переспросил скупщик. — Некоторые приносят их десятками. Что же, давайте поглядим. Мы ее оценим и предложим вам лучшую сумму.

А его пальцы тем временем продолжали остервенело перекатывать монету.

Инстинктивно Кино знал, как произвести впечатление: медленно вынул из кармана мешочек, медленно достал из него грязный кусок оленьей кожи и развернул сверток, так что жемчужина выкатилась прямо на черный бархат подноса. Кино быстро поднял глаза на скупщика, но тот не выдал себя ни жестом, ни взглядом. Выражение его лица не изменилось, и только спрятанная под столом рука дала осечку: монета наскочила на костяшку и неслышно упала ему на колени, а пальцы сжались в кулак. Затем правая рука появилась из укрытия. Указательный палец дотронулся до жемчужины, покатал ее по черному бархату. Наконец скупщик взял жемчужину двумя пальцами, поднес к глазам и повертел.

Кино не дышал. Соседи тоже не дышали, а по толпе прокатился шепот:

— Осматривает жемчужину... Сумму еще не назвал... До цены пока не дошло...

Рука скупщика теперь действовала как бы сама по себе. Она бросила великую жемчужину на поднос и обидно ткнула в нее указательным пальцем, а на лице скупщика появилась печальная и презрительная улыбка.

— Мне очень жаль, друг мой.

Толстяк слегка приподнял плечи, как бы говоря, что его вины здесь нет.

— Это жемчужина огромной цены, — произнес Кино.

Пальцы скупщика отвесили жемчужине щелчок, так что она подпрыгнула и отскочила от края подноса.

— Слышали про золото дураков? — спросил он. — Ваша жемчужина той же породы. Она слишком большая. Кому такая нужна? Покупателя на нее не найти. Это всего лишь диковинка. Мне очень жаль. Вы думали, она стоит больших денег, но на самом деле грош ей цена.

На лице Кино отразились недоумение и тревога.

— Это величайшая жемчужина в мире! — воскликнул он. — Еще никто в целом свете не находил такой!

— Просто несуразно большая жемчужина, — ответил скупщик. — Если она и представляет интерес, то только в качестве диковинки. Может, какой-нибудь музей и согласится приобрести ее для своей коллекции ракушек. Готов предложить вам, скажем, тысячу песо.

Лицо кино потемнело и сделалось грозным.

— Да она стоит пятидесяти тысяч! — процедил он. — И вы сами это знаете — просто пытаетесь обвести меня вокруг пальца.

Скупщик услышал, как по толпе прокатился негодующий ропот, и слегка поежился от страха.

— Я тут ни при чем, — поспешно выговорил он. — Я всего лишь оценщик. Спросите других. Сходите к ним с этой жемчужиной. А лучше пусть они сами придут сюда — тогда вы убедитесь, что мы не в сговоре. Бой! — крикнул он и, когда в заднюю дверь просунулась голова слуги, добавил: — Бой, отправляйся к такому-то, такому-то и такому-то и попроси заглянуть ко мне. Не говори зачем. Просто скажи, что я буду очень рад их видеть.

Правая рука скупщика вновь спряталась под стол, достала из кармана новую монету и принялась перекатывать ее по пальцам.

Соседи зашептались. Они с самого начала предполагали нечто подобное. Жемчужина, конечно, большая, но цвет у нее какой-то странный. Она сразу показалась им подозрительной. И потом, тысяча песо на дороге не валяется. Для бедняка это тоже деньги. Может, стоит согласиться? Ведь еще вчера у Кино не было вообще ничего.

Кино весь подобрался и напружинился. Он чувствовал, что рядом крадется судьба, рыщут волки, реют стервятники — чувствовал, как вокруг сгущается зло, но был не в силах себя защитить. В ушах у Кино звучала музыка врага, а на черном бархате сверкала великая жемчужина, так что скупщик не мог оторвать от нее глаз.

Толпа в дверях заколебалась и раздалась, пропуская троих дельцов. Все притихли, боясь пропустить хоть слово, не заметить малейший жест или взгляд. Кино был безмолвен и насторожен. Кто-то легонько потянул его за рубашку. Он обернулся, встретился глазами с Хуаной, и это придало ему сил.

Скупщики не взглянули ни друг на друга, ни на жемчужину.

Хозяин конторы сказал:

— Я определил стоимость этой жемчужины, однако владелец не считает ее адекватной. Прошу вас произвести оценку данного... данного предмета и предложить свою сумму. Заметьте, — обратился он к Кино, — я не назвал, сколько предложил сам.

Первый скупщик, сухопарый и жилистый, казалось, увидел жемчужину только теперь. Он взял ее в руку, покатал между большим и указательным пальцем и презрительно бросил на поднос.

— Я в обсуждении не участвую и цену предлагать не собираюсь, — сухо произнес он, кривя тонкие губы. — Это не жемчужина, это какое-то страшилище. Она мне не нужна.

Второй скупщик, маленький человечек с робким тихим голоском, взял жемчужину и принялся внимательно ее разглядывать. Он достал из кармана увеличительное стекло, изучил под ним жемчужину и негромко рассмеялся.

— Искусственный жемчуг и то лучше. Знаю я такие жемчужины — мягкие и хрупкие, как мел. Через пару месяцев она потеряет цвет и раскрошится. Вот, сами посмотрите...

Он протянул Кино стекло и показал, как им пользоваться. Кино, который никогда прежде не видел поверхность жемчужины под увеличением, был потрясен, как странно она выглядит.

Третий скупщик взял у Кино жемчужину.

— Один мой клиент любит такие, — сказал он. — Готов предложить пятьсот песо. Если повезет, продам ее за шестьсот.

— Я глупец, знаю, — сказал сидящий за столом толстяк, — но мое предложение по-прежнему в силе. Предлагаю вам тысячу песо... Эй, что это вы делаете?..

Кино поспешно выхватил у третьего скупщика жемчужину, завернул ее в оленью кожу и бросил в карман.

— Мошенники! — яростно крикнул он. — Моя жемчужина больше не продается. Я отправлюсь с ней к другим покупателям — дойду, если надо, до самой столицы!

Скупщики быстро переглянулись. Они перегнули палку и знали, что их за это накажут.

— Пожалуй, готов предложить полторы тысячи, — поспешно сказал тот, что сидел за столом.

Кино уже пробирался сквозь толпу. Шум голосов доходил до него смутно, так стучала в ушах разгоряченная яростью кровь. Он протолкался вперед и зашагал прочь, а за ним торопливо засеменила Хуана.

Вечером, за ужином из кукурузных лепешек и вареных бобов, соседи обсуждали главное событие этого утра. С виду жемчужина хороша, но кто его знает? Раньше они никогда таких не видели. Да и вообще, скупщикам, наверное, лучше знать.

— Заметьте, они даже не совещались между собой. Все четверо поняли, что жемчужина ничего не стоит.

— А если они заранее сговорились?

— Тогда, выходит, нас всю жизнь водили за нос.

Возможно, говорили одни, стоило согласиться на полторы тысячи. Это большие деньги — Кино в жизни столько не видел. Похоже, он просто упрямый дурак. А если Кино действительно отправится в столицу, но так и не найдет покупателя? Ему такого удара не перенести.

Теперь, говорили другие, самые боязливые из соседей, когда Кино унизил скупщиков, они вообще не пожелают иметь с ним дело. Он сам обрубил сук, на котором сидел.

Кино смелый человек, возражали третьи, решительный человек. И он прав. Возможно, его смелость еще принесет пользу всем нам. Эти последние гордились Кино.

Кино сидел на циновке, погруженный в тяжелые раздумья. Он закопал жемчужину под камнем у очага и теперь не отрываясь смотрел на камышовую циновку, так что ее плетеный узор плясал у него перед глазами. Кино потерял один мир и не сумел покорить другой. А еще он боялся. Никогда в жизни Кино не бывал далеко от дома. Он боялся чужаков и чужих мест. Его приводила в ужас мысль о столице — воплощении всего чуждого. Путь к ней лежал по горам и по морю, тянулся целую тысячу миль, и каждая миля этого ужасного пути внушала страх. Но Кино уже потерял старый мир и теперь должен обрести новый. Его мечта о будущем реальна — разрушить ее невозможно. Он произнес: «Я пойду», и его слова тоже стали чем-то реальным. Решиться пойти и сказать об этом вслух — все равно что проделать полпути.

Хуана наблюдала за Кино, пока он закапывал жемчужину; наблюдала, пока умывала и кормила Койотито грудью, пока пекла кукурузные лепешки на ужин.

Вошел Хуан-Томас. Он присел на корточки рядом с братом и долго молчал, пока Кино не заговорил сам:

— Что еще мне оставалось? Они обманщики!

Хуан-Томас мрачно кивнул. Он был старше, поэтому Кино всегда обращался к нему за мудростью.

— Трудно сказать, — ответил Хуан-Томас. — Мы знаем, что нас обманывают с рождения до самой смерти. Даже за гроб наш дерут втридорога. Но мы как-то выживаем. Ты бросил вызов не скупщикам жемчуга, а всем порядкам, всему устройству жизни, и я за тебя боюсь.

— Чего мне бояться, кроме голодной смерти?

Хуан-Томас медленно покачал головой.

— Голодной смерти следует бояться каждому. Допустим, ты прав. Допустим, твоя жемчужина действительно стоит больших денег. Думаешь, на этом все закончится?

— Что ты имеешь в виду? — спросил Кино.

— Сам не уверен, но мне за тебя страшно. Ты идешь по неизведанной земле, не зная дороги.

— Я все равно пойду, и скоро.

— Да, — согласился Хуан-Томас. — Идти надо. Хотя сомневаюсь, что в столице тебя ждет что-то другое. Здесь у тебя есть друзья, есть я, твой брат. Там не будет никого.

— Что еще мне остается?! — воскликнул Кино. — Против моей семьи замышляют недоброе. Надежда моего сына на лучшую жизнь —

вот на что они покусились. Но друзья меня защитят.

— Если это не причинит им неудобств и не подвергнет опасности. — Хуан-Томас поднялся, готовясь уйти. — С Богом.

— С Богом. — Кино даже не поднял глаз, таким непонятным холодом повеяло от этих слов.

Хуан-Томас ушел, а Кино еще долго сидел на циновке, погруженный в раздумья. Его окутало безразличие и какая-то серая безнадежность. Казалось, все пути перекрыты; в голове звучала только темная музыка врага. Чувства болезненно обострились, а ум вновь обрел глубокое соучастие со всем мирозданием — дар, полученный от предков. Слух Кино улавливал малейший звук близкой ночи: сонные жалобы устраивающихся на ночлег птиц, любовные стенания кошек, шелест волн по песчаному берегу, монотонный звон дали. Кино чувствовал резкую вонь обнажившихся при отливе бурых водорослей. В слабом свете огня узор плетеной циновки плясал перед его одурманенным взором.

Хуана с беспокойством смотрела на мужа. Она знала его и знала, что лучше всего просто молчать и быть рядом. Хуана словно тоже слышала музыку врага и боролась с ней, негромко напевая песню семьи — песню о надежности, теплоте и важности семьи. Она держала на руках Койотито и пела ему, чтобы отогнать зло. Ее голос смело бросал вызов темной музыке врага.

Кино не двигался и не просил подать ужин. Хуана знала: муж сам попросит, когда придет время. Взгляд у него был затуманенный. Он чувствовал, что снаружи притаилось и караулит зло. Что-то темное рыскало вокруг хижины, терпеливо поджидая, когда он выйдет в ночь. Сумрачное и страшное, оно грозило, звало, бросало вызов. Кино сунул руку под рубашку и нащупал нож. С широко раскрытыми глазами он встал и подошел к двери.

Одной силой своей воли Хуана попробовала его остановить. Она предостерегающе подняла руку, а рот у нее приоткрылся от страха. С минуту Кино вглядывался в темноту и наконец шагнул за дверь. Снаружи долетел неясный шорох, шум возни и звук удара. На миг Хуана застыла от ужаса. Затем зубы у нее оскалились, точно у кошки. Она положила Койотито на пол, схватила у очага камень и выбежала наружу, но все уже кончилось: Кино лежал на земле, пытаясь подняться. Вокруг — никого. Только густились тени, шуршали волны и звенела даль. Однако зло было повсюду: пряталось за плетнем, караулило в тени дома, кружило в воздухе.

Хуана выпустила камень из рук, помогла Кино подняться и отвела в хижину. Из-под волос у него сочилась кровь; на щеке, от уха до подбородка, тянулся глубокий кровавый порез. Кино шел как в полуобмороке. Голова у него моталась из стороны в сторону, рубашка была разодрана, одежда в беспорядке. Хуана усадила мужа на циновку и подолом собственной юбки отерла кровь с его лица. Она принесла кувшинчик с пульке, но, даже выпив спиртного, Кино по-прежнему тряс головой, чтобы разогнать сгустившуюся тьму.

— Кто? — спросила Хуана.

— Не знаю, — ответил он. — Не разглядел.

Хуана принесла глиняный горшок с водой и промыла порез у него на щеке, а он все сидел, оцепенело глядя прямо перед собой.

— Кино, муж мой! — воскликнула Хуана, но он продолжал смотреть куда-то сквозь нее. — Кино, ты меня слышишь?

— Я тебя слышу, — глухо ответил он.

— Кино, эта жемчужина — зло! Давай покончим с ней, пока она не покончила с нами. Раздробим камнем, выбросим в море, где ей самое место. Кино, она нас погубит, она нас погубит!

В глазах Кино вновь зажегся огонь, и они свирепо засверкали. Мускулы напряглись, воля окрепла.

— Нет, — отрезал он. — Я буду бороться. Я ее одолею. Мы свое получим.

Кино стукнул кулаком по циновке.

– Никто не отберет у нас нашу удачу!

Потом взгляд его смягчился, и он бережно дотронулся до плеча Хуаны.

— Верь мне, — сказал он. — Я мужчина.

Глаза его заговорщицки блеснули.

— Утром мы с тобой возьмем каноэ и отправимся в столицу — через море, через горы. Я не позволю, чтобы нас обманывали. Я мужчина.

— Кино, — хрипло проговорила Хуана. — Мне страшно. Даже мужчину можно убить. Прошу, давай выбросим жемчужину обратно в море.

— Молчи! — прикрикнул он. — Молчи. Я мужчина.

Хуана замолчала, потому что прозвучало это как приказ.

— Нужно немного поспать, — снова заговорил Кино. — Тронемся мы чуть свет. Ты ведь не боишься ехать со мной?

— Нет, муж мой.

Кино дотронулся до ее щеки. Взгляд его сделался теплым и ласковым.

— Нужно немного поспать, — повторил он.

V

Поздний месяц взошел прежде, чем прокричал первый петух. Кино почувствовал подле себя какое-то движение и поднял веки, но не пошевелился — только глаза его впились в темноту. В бледном свете месяца, что украдкой заглядывал сквозь плетеные стены, он увидел, как бесшумно встала с циновки Хуана. Она приблизилась к очагу и отодвинула камень — так осторожно, что Кино различил только едва уловимый шорох. Затем, словно тень, Хуана скользнула к двери, на миг застыла рядом с ящиком, где спал Койотито. Потом на фоне дверного проема мелькнул ее черный силуэт, и она исчезла.

Кино захлестнула ярость. Двигаясь так же бесшумно, как Хуана, он выскользнул из дома и услышал звук торопливых шагов, направляющихся в сторону моря. Кино тихо крался за ней по пятам. Мозг его был докрасна раскален от гнева. Хуана выбралась из зарослей кустарника и теперь спешила к воде, спотыкаясь о камни. Внезапно она услышала, что ее преследуют, и бросилась бежать. Хуана размахнулась, но тут Кино налетел на нее, схватил за руку и вырвал из пальцев жемчужину. Кино ударил жену кулаком в лицо, а когда она упала, пнул в бок. В тусклом свете Кино видел, как набегают на тело Хуаны легкие волны, как ее юбка то надувается, то опадает и липнет к ногам.

Кино оскалил зубы и зашипел, как змея, а Хуана лишь смотрела на него широко раскрытыми глазами, в которых не было страха, — смотрела, точно овца на мясника. Хуана знала, что сейчас он способен на убийство. Она приняла это и не стала бы ни сопротивляться, ни даже роптать.

Внезапно ярость оставила Кино — ей на смену пришло брезгливое отвращение. Он отвернулся и зашагал прочь — вверх по берегу, через заросли кустарника. От гнева чувства его притупились.

Кино услышал шорох, выхватил нож и налетел на одну из темных фигур. Он почувствовал, как нож вонзился во что-то мягкое, а потом его бросили на колени и повалили на землю. Жадные пальцы принялись обыскивать Кино, лихорадочно обшаривать одежду, а выбитая из руки жемчужина закатилась за камень и лежала на тропе, слабо поблескивая в неярком лунном свете.

Хуана с усилием приподнялась с камней. Все лицо отзывалось тупой болью, бог саднило, мокрая юбка липла к ногам. Хуана немного постояла на коленях, приходя в себя. Злобы в ней не было. Кино сам сказал: «Я мужчина», а для нее это значило нечто определенное. Это значило, что Кино наполовину сумасшедший, наполовину бог; значило, что он готов помериться силой и с горой, и с морем. Своей женской душой Хуана понимала, что гора останется стоять, а мужчина разобьется; что море поднимется волнами, а он утонет. И все же именно это и делало его мужчиной, наполовину сумасшедшим, наполовину богом, а Хуане нужен был мужчина — по-другому она не могла. Хотя различия между мужчиной и женщиной приводили ее в недоумение, Хуана знала их, принимала, нуждалась в них. Разумеется, она последует за ним — ни о чем другом не могло быть и речи. Может, ее женскому естеству — благоразумию, осторожности, чувству самосохранения — удастся пробить мужественность Кино и спасти их всех. Превозмогая боль, Хуана с трудом поднялась на ноги, зачерпнула вонючей соленой воды и омыла покрытое синяками лицо, а затем начала осторожно подниматься по берегу вслед за Кино.

С юга набежали узкие длинные облака. Бледный месяц погружался в них и тут же снова выныривал, так что Хуана шла то в темноте, то по свету. Спина у нее была сгорблена от боли, голова опущена. Пока она пробиралась меж кустов, месяц прятался за облаком. Когда же он выглянул снова, на тропе за камнем блеснула великая жемчужина. Хуана встала на колени и подняла ее, а месяц тем временем скрылся вновь. Стоя на коленях, Хуана размышляла, не вернуться ли к морю и не закончить ли начатое, но тут опять посветлело, и впереди на тропе она заметила два неподвижных тела. Хуана бросилась туда и увидела Кино и еще одного, незнакомого человека, из горла которого сочилась блестящая темная жидкость.

Кино слабо пошевелился. Его руки и ноги задергались, словно лапки раздавленного жука, изо рта вырвалось хриплое бормотание. В тот миг Хуана поняла, что к прошлому возврата больше нет. Поняла, когда увидела на тропе мертвеца и валяющийся рядом нож Кино с испачканным лезвием. Раньше Хуана пыталась спасти хоть какую-то часть того мирного существования, которое они вели, пока не нашли жемчужину. Однако то время миновало, и его было не вернуть. Поняв это, Хуана тут же оставила мысли о прошлом. Теперь им оставалось только одно — спасать свою жизнь.

Боль и медлительность как рукой сняло. Хуана проворно оттащила покойника в кусты, затем вернулась к мужу и мокрой юбкой отерла ему лицо.

— Они забрали жемчужину, — простонал Кино. — Я ее потерял. Все кончено. Жемчужина пропала.

Хуана принялась утешать его, словно больного ребенка.

— Тише, — сказала она. — Вот твоя жемчужина. Я нашла ее на тропе. Слышишь? Вот она, твоя жемчужина. Ты убил человека, так что надо уходить. За нами пошлют погоню, понимаешь? Надо уходить, пока не рассвело.

— На меня напали, — напряженно ответил Кино. — Я защищался — иначе меня бы убили.

— Разве это кого-то волнует? Помнишь, что было вчера? Помнишь городских дельцов? Думаешь, твои объяснения чему-то помогут?

Кино глубоко вздохнул и попытался совладать с собой.

— Нет, — ответил он наконец. — Ты права.

Воля его окрепла: он снова был мужчиной.

— Сходи за Койотито, — велел Кино. — Захвати с собой всю кукурузу, которую найдешь. Я спущу каноэ на воду, и мы тронемся в путь.

Кино подобрал нож и заковылял вниз по берегу — туда, где лежало его каноэ. Когда сквозь облака вновь прорезался свет, он увидел, что в днище зияет огромная дыра. Жгучая ярость охватила Кино, придала ему сил. Тьма обступала его семью со всех сторон. Мелодия зла заполнила собой ночь, повисла над мангровыми деревьями, завыла в шуме прибоя. Пробить дедову лодку, шпаклеванную и перешпаклеванную секретной замазкой! Немыслимое злодеяние, худшее, чем убийство человека. Ведь у лодки нет сыновей, она не может обороняться, а раны в ней не заживают. Хотя к ярости Кино примешивалась скорбь, это последнее несчастье сделало его несгибаемым. Он превратился в животное, способное только прятаться и нападать. У него осталась одна цель — выжить и защитить семью. Не чувствуя боли от удара по голове, Кино скачками поднялся по берегу и сквозь заросли кустарника бросился к дому. Ему даже не пришло на ум взять чужую лодку. Это было так же немыслимо, как пробить в ней дыру.

Уже вовсю кричали петухи: скоро рассвет. Сквозь плетеные стены хижин кое-где струился дымок, и пахло кукурузными лепешками. В кустах возились утренние птицы. Ущербная луна быстро меркла, облака сгустились и отступили на юг. Подул свежий ветер, нервный и порывистый; от его дыхания пахло бурей. В воздухе веяло тревогой и переменами.

Кино ощутил прилив радостного возбуждения. Замешательство прошло: теперь ему оставалось только одно. Рука дотронулась сначала до жемчужины в кармане, затем до спрятанного под рубашкой ножа.

Кино увидел впереди тусклое зарево, и тут же, осветив тропу, в темноте вспыхнуло и заревело пламя. Кино сорвался на бег. Он знал, что горит его дом, и знал, как быстро сгорают плетеные хижины. Навстречу ему метнулась чья-то тень — Хуана. Одной рукой она прижимала к себе всхлипывающего от страха Койотито, другой — одеяло Кино. Глаза у нее были расширенные и напуганные. Кино видел, что хижину уже не спасти. Он не стал ни о чем спрашивать, Хуана заговорила сама:

— В хижине все перевернули вверх дном: перекопали пол, даже ящик Койотито переворошили. Когда я подоспела, они как раз поджигали снаружи стену.

Резкий свет пожара ярко озарял лицо Кино.

— Кто? — отрывисто спросил он.

— Не знаю, — ответила Хуана. — Темные люди.

Соседи выскакивали из хижин и затаптывали падающие искры, чтобы спасти собственное жилье. Внезапно Кино стало страшно: вокруг было слишком светло. Ему вспомнился мертвец, лежащий в кустах у тропы. Кино взял Хуану за локоть и потянул в тень ближайшей хижины, подальше от света, потому что свет значил теперь опасность. Кино подумал немного, а затем, стараясь держаться в тени, пробрался к дому Хуана-Томаса, проскользнул в дверь и затащил вслед за собой Хуану. Снаружи визжали ребятишки и кричали соседи: друзья боялись, что Кино с семьей остался в горящем доме.

Дом Хуана-Томаса мало чем отличался от жилища Кино. Большинство плетеных хижин выглядело одинаково. Все они пропускали воздух и свет, так что Кино с Хуаной видели сквозь стену, как бушевало неистовое пламя, как провалилась крыша, и как быстро, словно огонь в очаге, угас пожар. Они слышали крики друзей и пронзительные причитания Аполонии, жены Хуана-Томаса, которая на правах ближайшей родственницы подняла поминальный плач по умершим.

Внезапно Аполония спохватилась, что шаль на ней не самая подходящая к случаю, и побежала домой за новой и нарядной. Едва она принялась рыться в ящике у стены, как услышала тихий голос Кино:

— Аполония, не голоси: мы живы.

— Откуда вы взялись? — изумилась она.

— Не время расспрашивать, — перебил Кино. — Разыщи Хуана-Томаса и приведи его сюда. И никому ни слова! Это важно, Аполония.

Аполония застыла, беспомощно держа перед собой руки, но наконец ответила:

— Хорошо, деверь.

Вскоре она вернулась вместе с мужем. Хуан-Томас зажег свечу и подошел туда, где скрючившись сидели Кино с Хуаной.

— Аполония, встань в дверях и никого не впускай, — распорядился Хуан-Томас. Он был старше Кино, а потому взял на себя роль главного. — Итак, брат...

— В темноте на меня напали, — начал Кино. — В драке я убил человека.

— Кого? — быстро спросил Хуан-Томас.

— Не знаю. Кругом одна темнота — темнота и темные тени.

— Это все жемчужина. В ней сидит дьявол. Нужно было продать ее и передать дьявола кому-то другому. Может, ты еще сумеешь продать свою жемчужину и тем купишь себе покой.

— О брат, мне нанесли оскорбление, которое глубже моей жизни. Мое каноэ разбито, дом сожжен, а в зарослях лежит мертвец. Все пути к бегству отрезаны. Ты должен спрятать нас, брат мой.

Кино заметил, что в глазах Хуана-Томаса мелькнуло беспокойство, но не дал ему времени отказать.

— Ненадолго, — торопливо добавил он. — Только пока не пройдет день и не наступит новая ночь. А тогда мы уйдем.

— Я вас спрячу, — ответил Хуан-Томас.

— Не хочу подвергать твою семью опасности, — сказал Кино. — Знаю, я теперь вроде проказы. Ночью мы уйдем, и тогда ничто не будет вам угрожать.

— Я вас приючу. Аполония, занавесь чем-нибудь дверь. И смотри, никому ни слова, что Кино у нас!

Весь день Кино с Хуаной молча сидели в темной хижине и наблюдали, как соседи разгребают золу в поисках костей. Сквозь плетеные стены им было слышно, что о них судачат. Новость о пробитой лодке потрясла всех. Чтобы рассеять подозрения, Хуан-Томас расхаживал между соседями и строил всевозможные догадки, что могло случиться с Кино, Хуаной и малышом Койотито.

— Наверное, отправились вдоль берега на юг, чтобы спастись от того зла, которое их преследовало, — говорил он одному.

— Кино никогда не оставил бы море, — заявлял другому. — Может, нашел новую лодку?

— Аполония просто сама не своя от горя, — жаловался третьему.

В тот день поднялся ветер. Он хлестал по воде залива, с корнем выдирал водоросли и растущие вдоль берега травы, стенал в крышах плетеных хижин. Каждой вышедшей в море лодке грозила беда.

— Кино погиб, — во всеуслышание объявил Хуан-Томас. — Если он вышел в море, то уж конечно утонул.

Заглядывая к соседям, Хуан-Томас как бы между делом брал у них что-нибудь взаймы и всякий раз возвращался с чем-то новым. Он принес маленький плетеный мешочек с красной фасолью и сосуд из выдолбленной тыквы, до краев наполненный рисом, чашку сушеных перцев и кусок соли, а главное, тяжелый, словно топор, нож в локоть длиной, который мог служить как рабочим инструментом, так и оружием. Когда Кино увидел нож, глаза у него загорелись. Он ласково погладил лезвие и проверил большим пальцем, хорошо ли заточено.

Над заливом стенал ветер. Вода стала белой от пены, мангровые деревья метались из стороны в сторону, точно перепуганные овцы. От земли поднялась мелкая пыль и повисла над морем удушающим облаком. Ветер разогнал тучи, расчистил небо и мел по берегу песок, точно снег.

Когда наступил вечер, Хуан-Томас завел с братом долгий разговор.

— Куда вы отправитесь?

— На север, — ответил Кино. — Говорят, на севере есть города.

— Держитесь подальше от моря. В городе собирают отряд, чтобы обшарить побережье. Вас будут искать. Жемчужина еще у тебя?

— У меня, и я никому ее не отдам. Быть может, раньше я мог бы подарить эту жемчужину, но теперь она стала моим проклятием и моей жизнью. Я никому ее не отдам.

Взгляд у Кино был холодный, жестокий и озлобленный.

Захныкал Койотито, и Хуана принялась бормотать короткие заговоры, чтобы он замолчал.

— Добрый поднялся ветер, — заметил Хуан-Томас. — Все следы заметет.

Уйти решили по темноте, пока не взошла луна. Вся семья торжественно встала посреди хижины для последнего прощания. Койотито висел в шали за спиной у Хуаны и спал, прижавшись щекой к ее плечу. Концом той же шали Хуана прикрывала нос от тлетворного ночного воздуха. Хуан-Томас крепко обнял брата и расцеловал в обе щеки.

— С Богом, — произнес он — произнес так, словно прощался с умирающим. — Точно не откажешься от жемчужины?

— Она стала моей душой, — ответил Кино. — Если отдам ее, потеряю душу. С Богом.

VI

Ветер дул с неистовой силой, швыряя ветками, песком и мелкими камушками. Кино с Хуаной плотнее запахнули одежду, прикрыли носы и ступили за порог. Ветер разогнал облака, и на черном небе холодно сияли звезды. Путники шли осторожно, не углубляясь в город, где их мог заметить какой-нибудь задремавший на крыльце пьянчужка. Ночью все люди запирались в домах, и любой, кто бродил в темноте, вызывал подозрения. Обогнув город по краю, Кино по звездам повернул на север и вышел на разбитую колесами песчаную дорогу, ведущую в Лорето, где по сей день стоит обитель Чудотворной Девы*.

Вокруг лодыжек вился песок. Кино был этому рад: значит, следов не останется. Тусклый звездный свет освещал ему путь. Позади раздавались торопливые шаги Хуаны. Он шел бесшумно и быстро, и ей приходилось почти бежать, чтобы не отставать.

---

* Имеется в виду Миссия Богородицы Лорето Кончо, первая постоянная миссия в Южной Нижней Калифорнии.

Что-то первобытное зашевелилось внутри у Кино. Несмотря на страх перед темнотой и населяющими ее демонами, душу охватило радостное возбуждение. В нем проснулось нечто животное, отчего он сделался осторожным, внимательным и опасным; нечто древнее из прошлого его народа. Ветер дул в спину, звезды указывали путь. Ветер стенал и шуршал в зарослях, а семья все шла и шла, час за часом, без остановок. Они не видели никого, и никто не попадался им на пути. Наконец по правую руку взошел ущербный месяц, ветер улегся, и все стихло.

Теперь стала хорошо видна лежащая впереди дорога — узкая, прорезанная глубокими, засыпанными песком колеями. Ветер стих, а значит, на дороге будут оставаться следы. Однако они уже достаточно далеко от города: возможно, следов не заметят. Кино осторожно ступал по колее, Хуана семенила за ним по пятам. Стоит одной большой телеге проехать с утра в город, и проследить их путь будет невозможно.

Они шли всю ночь, не сбавляя шаг. Когда проснулся Койотито, Хуана переложила его поближе к груди и утешала, пока он опять не заснул. Вокруг раздавались зловещие звуки ночи: в зарослях рыдали и хохотали койоты, над головой кричали и шипели совы. Один раз Кино с Хуаной слышали, как сквозь кусты продирается какой-то крупный зверь. Кино стиснул рукоять большого ножа, и ему стало спокойнее.

В голове у Кино победоносно гремела музыка жемчужины. Фоном к ней звучала тихая мелодия семьи, и обе они сплетались с чуть слышным топотом обутых в сандалии ног. Они шли всю ночь, а едва начало светать, Кино стал подыскивать укрытие, в котором можно было бы отсидеться днем. Вскоре нашлось подходящее место — небольшая прогалина, старая оленья лежка, надежно скрытая плотно растущими сухими деревцами. Когда Хуана опустилась на землю и принялась кормить грудью малыша, Кино вернулся к дороге, обломил ветку и тщательно замел следы в том месте, где они свернули на обочину. В предрассветной тишине послышался скрип колес. Притаившись в кустах, Кино наблюдал, как мимо проехала тяжелая двухколесная повозка, запряженная медлительными волами. Когда повозка скрылась из виду, Кино заглянул в колею: отпечатков ног как не бывало. Он снова замел свои следы и возвратился к Хуане.

Хуана дала ему мягких кукурузных лепешек, которые собрала им в дорогу Аполония. Вскоре она ненадолго заснула, а Кино сидел, упершись глазами в землю, и наблюдал за маленькой колонной муравьев. Он слегка передвинул ногу, так что она оказалась на пути у колонны, и муравьям пришлось карабкаться прямо по ней. Кино не убрал ногу и просто смотрел, как они перелезают через его стопу и продолжают свой путь.

Встало жаркое солнце. Здесь, вдали от залива, воздух был сухой и горячий. Кусты и низкорослые деревца потрескивали от зноя, и от них исходил приятный смолистый аромат. Когда Хуана проснулась, солнце стояло уже высоко, и Кино принялся рассказывать ей о том, что она и так уже знала.

— Берегись вон того дерева, — говорил он. — Если дотронешься до него, а потом потрешь глаза, то ослепнешь. Берегись также кровоточивого дерева. Вот оно, видишь? Если надломить ветку, из нее потечет алая кровь, а это к несчастью.

Хуана кивала и слегка улыбалась — все это она уже слышала.

— За нами будет погоня? — спросила она. — Думаешь, нас попытаются найти?

— Конечно, попытаются, — ответил Кино. — Нашедший нас получит жемчужину. О, еще как попытаются!

— А может, городские дельцы правы и жемчужина действительно ничего не стоит? Может, все это просто мираж?

Кино достал жемчужину и смотрел, как играет на ней солнце, пока не зарябило в глазах.

— Нет, — ответил он наконец. — Они бы не пытались ее украсть, если бы она ничего не стоила.

— Ты знаешь, кто на тебя напал? Скупщики?

— Не знаю — не разглядел.

Кино заглянул в жемчужину, пытаясь вновь обрести свой провидческий дар.

— Когда мы наконец ее продадим, у меня появится ружье.

Он попытался отыскать в глубине жемчужины свое будущее ружье, но увидел только обмякшее темное тело, из горла которого сочилась кровь.

— Мы поженимся в большой церкви, — поспешно добавил Кино, но вместо этого ему представилась избитая Хуана, крадущаяся домой сквозь тьму.

— Наш сын должен научиться читать, — отчаянно выговорил он, и в жемчужине возникло лицо Койотито, опухшее и горячечное после докторского лекарства.

Тогда Кино опять сунул жемчужину под одежду. Ее музыка звучала теперь угрожающе и переплеталась с мелодией зла.

От солнечного зноя земля накалилась, и Кино с Хуаной перебрались в жидкую тень под деревьями, где сновали туда-сюда маленькие серые пташки. Кино разморило. Он прикрыл шляпой глаза, обернул голову одеялом, чтобы не досаждали мухи, и заснул.

Хуана не спала. Она застыла, точно каменная, с застылым каменным лицом. Губы у нее были все еще опухшие, вокруг пореза на подбородке вились жирные мухи, но она сидела неподвижно, как часовой на посту. Когда проснулся Койотито, Хуана положила его на землю и стала смотреть, как он сучит ручками и ножками. Малыш улыбался и агукал, пока она не улыбнулась в ответ. Хуана подобрала с земли палочку и пощекотала его, а потом напоила водой из тыквенной бутылки, которую несла с собой в узелке.

Кино заворочался во сне, гортанно вскрикнул, задергал рукой в воображаемой схватке. Потом застонал и внезапно сел. Глаза у него были широко распахнуты, ноздри раздувались. Он прислушался, но услышал только потрескивание зноя да тихий звон дали.

— Что случилось? — спросила Хуана.

— Тише, — ответил он.

— Просто дурной сон.

— Возможно.

Однако Кино не находил себе места. Когда Хуана дала ему кукурузную лепешку, он то и дело переставал жевать и прислушивался. Кино нервничал, постоянно оглядывался через плечо, хватался за нож и проводил пальцем по острию. Едва Койотито начал агукать, Кино сказал:

— Пусть замолчит.

— Что такое? — спросила Хуана.

— Не знаю.

Кино снова прислушался. Глаза его горели животным огнем. Он молча встал и, низко пригибаясь к земле, начал осторожно пробираться к дороге. Однако на дорогу не вышел, а притаился за колючим деревцем и поглядел в ту сторону, откуда они пришли.

И тут Кино заметил их. Он застыл на месте, пригнул голову и выглянул из-под упавшей ветки. Вдали виднелись три человеческие фигуры — две пешие и одна конная. Кино понял, кто это, и по спине у него пробежал холодок. Даже с такого расстояния он видел, что двое пеших движутся медленно, низко склонившись над землей. То и дело один останавливался и что-то внимательно разглядывал, и к нему тут же присоединялся другой. Следопыты. Чуткие, как собаки, они могут выследить даже толсторогого барана в голых каменных горах. Если Кино с Хуаной ступили где-то мимо колеи, эти охотники из внутренних земель полуострова непременно заметят, прочтут по сломанной травинке или кучке пыли. Позади них ехал темнокожий всадник. Лицо у него было закрыто одеялом, поперек седла лежало поблескивающее на солнце ружье.

Кино лежал, прямой и неподвижный, как скрывающая его ветка, и почти не дышал. Он отыскал глазами то место, где заметал следы. Даже разровненный песок мог привлечь внимание следопытов. Кино хорошо знал этих ищеек из внутренних земель. Они жили охотой в краю, где почти не было дичи. И сейчас они охотились на него. Словно звери, следопыты обыскивали каждую пядь земли, замечали какой-нибудь знак и склонялись над ним, а всадник тем временем терпеливо ждал.

Следопыты тихонько поскуливали, точно собаки, напавшие на теплый след. Кино медленно взял в руку нож и приготовился. Он знал, что делать. Если обнаружат то место, где он заметал следы, нужно броситься на всадника, убить его и завладеть ружьем. Это единственный шанс. Когда все трое приблизились, Кино зарылся носками в песок, чтобы не оскользнуться и прыгнуть без предупреждения. Из-под упавшей ветки не было видно почти ничего.

У себя в укрытии Хуана услышала цокот лошадиных подков. Загулил Койотито. Она поспешно сунула ребенка под шаль, дала ему грудь, и он затих.

Враги подошли вплотную. Теперь из-под ветки можно было различить только человеческие и лошадиные ноги. Кино видел смуглые, заскорузлые стопы и драную белую одежду пеших охотников, слышал скрип седла и позвякивание шпор. Там, где он разравнивал песок, следопыты замерли и стали внимательно что-то разглядывать. Всадник тоже остановился. Лошадь запрокинула голову, закусив удила. Во рту у нее щелкнуло колесико грызла, и она фыркнула. Следопыты обернулись и внимательно посмотрели ей на уши.

Кино не дышал. Спина у него была слегка изогнута от напряжения, мускулы на руках и ногах вздулись буграми, на верхней губе выступил пот. Несколько долгих мгновений следопыты стояли неподвижно, а затем двинулись дальше. Всадник тронулся вслед за ними. Следопыты трусцой бежали по дороге, останавливались, что-то осматривали и спешили вперед. Кино знал: они вернутся. Так и будут рыскать, ходить кругами, вынюхивать и выглядывать, пока рано или поздно не обнаружат его заметенный след.

Кино отполз назад, даже не попытавшись замаскировать свой путь. Бесполезно: слишком много оставалось мелких примет, сломанных веток, отпечатков, смещенных камней. Кино охватил панический страх — страх преследуемого животного. Их непременно найдут. Оставалось одно — бежать. Кино осторожно отошел от дороги и бесшумно вернулся туда, где ждала Хуана. Она вопросительно посмотрела на него.

— Следопыты, — произнес он. — Идем!

Внезапно на Кино навалилось чувство беспомощности и безнадежности. Лицо его потемнело, глаза потухли.

— Быть может, мне лучше сдаться.

Хуана вскочила на ноги и положила руку ему на плечо.

— У тебя жемчужина! — хрипло воскликнула она. — Думаешь, тебя оставят в живых, чтобы ты мог обличить их в воровстве?

Рука Кино вяло потянулась к спрятанной под одеждой жемчужине.

— Они ее найдут, — слабо произнес он.

— Идем, — сказала Хуана. — Идем!

А когда он не ответил, добавила:

— Думаешь, они оставят в живых меня? Или малыша?

Ее слова достигли цели. Зубы у Кино оскалились, глаза сверкнули.

— Пошли, — сказал он. — Уйдем в горы. Может, нам удастся сбить их со следа.

Кино поспешно собрал мешочки и тыквенные бутылки — весь их нехитрый скарб. В левой руке он держал узелок, в правой свободно раскачивался нож. Кино раздвинул перед Хуаной ветки, и они скорым шагом двинулись на запад, к высоким гранитным горам. Это было паническое бегство. Кино даже не пытался замаскировать путь, которым они шли: распинывал камни, сбивал с низкорослых деревьев предательские листья. Высоко стоящее солнце палило так, что даже листва протестующе потрескивала. А впереди возвышались бесплодные каменные горы. Они вырастали из щебнистого предгорья и монолитной стеной вырисовывались на фоне неба. Кино бежал туда, где повыше, как делают почти все животные, когда уходят от погони.

В этой пустынной местности росли только способные запасать воду кактусы да неприхотливый кустарник, запускающий свои длинные корни глубоко в землю, чтобы добыть немного влаги. Под ногами была не почва, а каменные обломки — небольшие кубы и огромные плиты, неокатанные водой. Среди камней печальными сухими пучками торчала трава, которая всходила после случайного дождя, отцветала, роняла в землю семена и умирала. Рогатые ящерицы наблюдали за Кино с Хуаной, поворачивая им вслед свои маленькие драконьи головки. То и дело, потревоженный путниками, выскакивал из укрытия и прятался за ближайшим валуном большой длинноухий заяц. Над пустыней висел звенящий зной, а гранитные горы впереди сулили прохладу.

Кино бежал, как от погони. Он знал, что его ждет. Пройдя еще немного по дороге, охотники поймут, что сбились со следа. Тогда они вернутся назад и будут осматривать и обдумывать каждый знак, пока не отыщут то место, где отдыхали Кино с Хуаной. Остальное уже легко: мелкие камушки, сбитые листья и сломанные ветки, отпечаток оступившейся ноги... Кино так и видел, как они бегут по следу, поскуливая от возбуждения, а позади них, темнолицый и почти равнодушный, едет всадник с ружьем. До него дело дойдет в последнюю очередь: обратно он не возьмет с собой никого. О, как же громко раздавалась в голове у Кино мелодия зла! Она звучала в унисон со скрипом зноя и сухим потрескиванием змеиных трещоток. Теперь мелодия была не широкой и подавляющей, а тайной и ядовитой, и тяжелый стук его сердца задавал ей ритм.

Путь начал полого подниматься в гору, а камни постепенно становились крупнее. Кино немного оторвался от погони и перед восхождением решил сделать привал. Он взобрался на огромный валун и оглядел окутанную мерцающим маревом пустыню, однако не увидел своих преследователей — даже голова всадника нигде не возвышалась над зарослями. Хуана присела в тени валуна. Она поднесла бутылку к губам Койотито, и он принялся жадно пить, ловя воду пересохшим язычком. Когда Кино вернулся, Хуана подняла на него взгляд. Она заметила, что он рассматривает ее лодыжки, исцарапанные о камни и ветки, и поспешно прикрыла их юбкой. На усталом лице Хуаны ярко блестели глаза. Она протянула Кино бутылку с водой, но он только покачал головой и облизал потрескавшиеся губы.

— Хуана, — сказал Кино, — ты спрячься, а я пойду дальше. Попробую увести их в горы. Когда они пройдут, отправляйся на север, в Лорето или в Санта-Розалию. Если сумею спастись, я вас разыщу. Это единственный верный путь.

Хуана посмотрела прямо ему в глаза.

— Нет, — ответила она, — мы пойдем с тобой.

— Один я хожу быстрее, — резко возразил Кино. — К тому же со мной Койотито в большей опасности.

— Нет, — повторила Хуана.

— Ты должна остаться. Это разумно. Таково мое желание.

— Нет.

Кино заглянул ей в лицо, но не увидел ни слабости, ни страха, ни сомнения. Глаза Хуаны ярко блестели. Кино беспомощно пожал плечами, но ее решимость придала ему сил. Когда они снова тронулись в путь, это уже не было паническое бегство.

По мере приближения к горам пейзаж быстро менялся. Теперь они шли по длинным гранитным обнажениям, между которыми зияли глубокие трещины. Где мог Кино ступал по голому, не сохраняющему следов камню и перепрыгивал с уступа на уступ. Он знал: всякий раз, как охотники сбиваются со следа, они вынуждены ходить кругами и зря терять время. Поэтому теперь он шел к горам не напрямик, а петлял, порой возвращался к югу, оставлял какую-нибудь метку и продолжал путь по голому камню. Склон круто поднимался вверх, и Кино тяжело дышал на ходу.

Когда солнце начало клониться к голым зубьям каменных гор, Кино направился к темной расселине в стене гор. Кино знал: если где-то есть вода, то именно там: даже отсюда он различал какую-то слабую растительность. И если где-то можно найти проход в этой монолитной каменной стене, то искать его нужно там же. Здесь таилась своя опасность: следопыты тоже подумают о расселине в первую очередь, — однако опустевшая бутылка из-под воды решила дело. Солнце уже садилось, когда Кино с Хуаной начали устало взбираться по крутому склону.

Высоко в серых каменных горах, под хмурой вершиной, из трещины в скале струился ручей. Летом его питал лежащий в тени снег. Бывало, ручей пересыхал совсем, и тогда на дне обнажались голые камни и сухие водоросли. Обычно же он весело журчал, холодный, прозрачный и чистый. В пору шумливых дождей ручей иногда превращался в бурный поток, и тогда в расселину обрушивался пенный водопад, но чаще это была просто узкая струйка воды. Вода образовывала озерцо, падала с высоты сотни футов и образовывала следующее, а когда оно переполнялось, падала вновь. Так ручей и спускался, словно по ступеням, пока не достигал каменистого предгорья и не исчезал совсем. К тому времени от него почти ничего не оставалось: всякий раз, как он перетекал с уступа на уступ, его жадно вбирал засушливый воздух, а вода из озерец выплескивалась на сухую растительность. Со всей округи к ручью сходились животные: горные бараны и олени, пумы и еноты, мыши — все приходили сюда на водопой. По вечерам к маленьким озерам, похожим на выдолбленные в расселине ступени, слетались птицы, проводившие день в зарослях на предгорье. Там, где скапливалось достаточно земли, чтобы уцепиться корнями, зеленела разнообразная растительность: дикий виноград и миниатюрные пальмы, венерин волос, гибискус и высокая пампасная трава с остроконечными листьями и собранными в метелки цветами. В самих озерцах обитали лягушки и водомерки, а по дну ползали водяные черви. Все, что любило воду, стремилось сюда. Дикие кошки подкарауливали здесь добычу, разбрасывали по берегу перья и лакали воду сквозь окровавленные зубы. Вода делала озерца местом жизни — и местом смерти.

Нижний уступ, где ручеек разливался озерцом, прежде чем упасть вниз и затеряться среди каменистой пустыни, представлял собой небольшую гранитную площадку, покрытую песком. Сверху сочилась лишь тонкая струйка воды, однако ее хватало, чтобы наполнить озерцо до краев. Под обрывом зеленели папоротники, по каменной стене карабкался дикий виноград, и самые разные травы и кустики находили здесь приют. После половодья вокруг водоема образовался маленький песчаный пляж, и в сыром песке рос ярко-зеленый водяной кресс. Берег был изборожден следами животных, которые приходили сюда напиться воды и поохотиться.

Солнце уже перевалило за горы, когда обессиленные Кино с Хуаной вскарабкались по крутому склону и добрались до маленького водоема. Отсюда была видна вся иссушенная солнцем пустыня вплоть до синеющего вдали залива. Хуана тяжело опустилась на колени. Первым делом она умыла малышу лицо, а затем наполнила бутылку и дала ему напиться. Койотито устал и капризничал. Он тихо всхлипывал, пока Хуана не дала ему грудь, а тогда довольно загулил и зачмокал. Кино пил долго и жадно. Он растянулся на берегу, расслабил все мускулы и лежал, наблюдая, как Хуана кормит ребенка. Через минуту Кино встал, подошел к краю уступа, где вода переливалась вниз, и пристально вгляделся вдаль. Его внимание привлекла какая-то точка. Кино напрягся: у подножия склона он увидел двоих следопытов. Они казались едва ли больше двух копошащихся на земле муравьев, позади которых полз третий, более крупный.

Хуана оглянулась на мужа и увидела, как напряглась его спина.

— Далеко? — тихо спросила она.

— Будут здесь к вечеру, — ответил Кино и посмотрел на длинную, круто уходящую вверх расселину, по которой сбегала вода.

— Нужно уходить на запад, — добавил он и окинул взглядом гладкую каменную стену в стороне от расселины. Футах в тридцати над головой Кино заметил несколько маленьких, выдолбленных ветром пещерок. Он сбросил сандалии и полез наверх, цепляясь пальцами ног за голый камень. Пещерки оказались неглубокие, всего несколько футов в длину, зато слегка уходили вниз. Кино заполз в самую просторную и понял, что снаружи его не видно. Он быстро спустился к Хуане и сказал:

— Нужно подняться наверх. Быть может, там они нас не найдут.

Хуана беспрекословно наполнила бутылку, и Кино помог ей залезть в пещеру. Затем он поднял свертки с едой и передал Хуане. Она сидела у входа и наблюдала за ним. Кино не стал стирать следы на песке, а вскарабкался на обрыв рядом с озерцом, цепляясь за дикий виноград и папоротники. Поднявшись на следующий уступ, он спустился назад и внимательно осмотрел гладкую каменную стену, в которой была выдолблена пещера: не осталось ли следов. Наконец Кино тоже залез наверх и устроился рядом с Хуаной.

— Когда они поднимутся выше, мы снова спустимся на равнину. Боюсь только, как бы малыш не заплакал. Смотри, чтобы он не плакал.

— Малыш не заплачет, — пообещала Хуана. Она заглянула в глаза Койотито, и он серьезно посмотрел на нее в ответ. — Он понимает.

Кино лежал у входа в пещеру, положив подбородок на скрещенные руки, и наблюдал, как синяя тень горы постепенно вытягивалась, пока не доползла до залива и не накрыла собой всю пустыню.

Враги не появлялись еще долго: видимо, не могли распутать след. До озерца они добрались только в сумерках. Все трое шли теперь пешком, так как лошадь не смогла бы подняться по крутому склону. Сверху они казались тремя тоненькими тенями в вечерней мгле. Следопыты обшарили песчаный берег и, прежде чем напиться, внимательно изучили нарочно оставленный Кино след. Человек с ружьем сел на землю, а следопыты опустились на корточки подле него. В полутьме огоньки их сигарет то вспыхивали, то гасли. Затем Кино увидел, что они ужинают, и услышал неясный гул голосов.

Настала ночь, черная и непроницаемая в этом узком горном ущелье. Пришедшие на водопой животные принюхались, почуяли людей и отступили обратно в темноту.

За спиной у Кино раздался шепот:

— Койотито...

Хуана уговаривала сына не шуметь. Малыш всхлипнул, но как-то приглушенно, и Кино понял, что Хуана накрыла ему голову шалью.

Внизу зажглась спичка, и в ее мимолетном свете Кино заметил, что двое преследователей спят, свернувшись по-собачьи, а третий на часах. Огонек тут же погас, но перед глазами осталась картинка. Кино отчетливо видел всех троих: двое спят, третий сидит на корточках, и между колен у него ружье.

Кино бесшумно отполз вглубь пещеры. В темноте глаза Хуаны светились, отражая низкую звезду. Он осторожно придвинулся к ней вплотную и приблизил губы к самому ее уху.

— Я нашел выход, — прошептал он.

— Они же тебя убьют!

— Если первым доберусь до человека с ружьем, — главное, добраться до него первым, — все будет хорошо. Остальные двое спят.

Хуана высвободила руку из-под шали и стиснула его запястье.

— Они увидят твою одежду в звездном свете.

— Не увидят. Но уйти я должен до восхода луны.

Он попытался найти для нее ласковое слово, однако на ум ничего не пришло.

— Если меня убьют, отсидись в пещере, а когда они уйдут, отправляйся в Лорето.

Ее рука у него на запястье слегка задрожала.

— Выбора нет, — сказал Кино. — Это единственный выход. Утром они все равно нас обнаружат.

— Ступай с Богом, — прошептала Хуана, и голос ее чуть дрогнул.

В темноте Кино были видны только ее большие глаза. Он на ощупь отыскал Койотито, положил руку ему на голову, затем дотронулся до щеки Хуаны, и у нее перехватило дыхание.

Хуана видела, как на пороге пещеры Кино снимает свою белую одежду, грязную и рваную, но все же слишком заметную в ночной темноте. Смуглая кожа была ему куда лучшей защитой. Затем он привязал роговую рукоятку ножа к шнурку с амулетом, чтобы обе руки оставались свободны. К Хуане Кино больше не вернулся. На мгновение в проеме пещеры возник его черный силуэт, сгорбленный и безмолвный, и он исчез.

Хуана подобралась поближе к выходу из пещеры и высунулась наружу. Она выглядывала, точно сова из каменного дупла, а ребенок висел в шали у нее за спиной и спал, прижавшись щекой к ее плечу и шее. Кожей она чувствовала его теплое дыхание. Хуана шепотом повторяла обычную смесь заклинаний и молитв, «Аве Марию» вперемешку с древними заговорами от всякой черной нечисти.

Ночь казалась уже не такой темной, а на востоке, там, где должна была взойти луна, небо у горизонта слегка посветлело. Глядя вниз, Хуана могла различить огонек сигареты, которую курил дозорный.

Медленно, словно ящерица, Кино полз по гладкой гранитной стене. Он повесил нож за спину, чтобы не бился о камень. Широко расправленными пальцами Кино цеплялся за склон, босыми ногами нащупывал опору. Даже грудь его была плотно прижата к отвесу, чтобы не соскользнуть. Малейший шум — стук сорвавшегося камня, вздох, шорох кожи по голой скале — мог разбудить следопытов. Любой чуждый для ночи звук привлек бы их внимание. Однако безмолвной ночь не была: жившие у воды древесные лягушки щебетали, точно птицы, и высокий металлический звон цикад наполнял узкую расселину. А в голове у Кино звучала его собственная музыка, музыка врага, глухая и неровная, почти дремотная. Зато песня семьи стала теперь жесткой, хищной и грозной, точно рычание пумы. Это она гнала его вниз, на темного врага. Ей вторил резкий стрекот цикад, а древесные лягушки выводили отдельные фразы ее мелодии.

Кино полз бесшумно, словно тень. Одна босая нога скользнула вниз. Пальцы нащупали опору и прочно уцепились. Затем другая нога, одна рука, другая, и вот уже все тело незаметно переместилось ниже. Рот у Кино был открыт, чтобы даже дыхание не могло его выдать.

Он знал, что не сделался невидимым. Если дозорный почувствует какое-то движение и посмотрит туда, где темным пятном выделяется на фоне скалы его смуглое тело, он пропал. Поэтому нужно двигаться так медленно, чтобы не привлечь внимания. Прошло немало времени, прежде чем Кино коснулся ногами земли и спрятался за низкорослой пальмой. Сердце у него оглушительно колотилось, лицо и ладони взмокли от пота. Кино дышал медленно и глубоко, чтобы успокоиться.

Теперь от врага его отделяло всего несколько шагов. Кино попытался вспомнить этот участок земли. Нет ли на пути камней, о которые можно споткнуться? Он принялся растирать себе ноги, чтобы не затекли, и обнаружил, что мышцы слегка подергиваются после долгого напряжения. Кино с беспокойством посмотрел на восток. Вот-вот появится луна, а действовать нужно прежде, чем она взойдет. Он видел в темноте силуэт дозорного; спящие находились вне поля его зрения. Но ему нужен именно дозорный. Напасть на него — быстро и без колебаний. Кино бесшумно перекрутил шнурок с амулетом и высвободил рукоятку ножа из петли.

Слишком поздно: не успел он выпрямиться, как из-за горизонта показался серебряный краешек луны. Кино снова присел позади пальмы.

Серп луны был старый и узкий, но он наполнил расселину резким светом и резкими тенями. Теперь Кино мог ясно различить фигуру дозорного, сидящего на песке у воды. Дозорный посмотрел на луну и закурил очередную сигарету — на мгновение огонек спички озарил его темное лицо. Ждать больше нельзя: как только враг отвернется, нужно прыгнуть. Ноги у Кино были напряжены, словно взвинченные пружины.

Но тут сверху долетел приглушенный плач. Дозорный прислушался и встал на ноги. Один из спящих пошевелился во сне, очнулся и тихо спросил:

— Что такое?

— Не знаю, — ответил дозорный. — Похоже на крик. Почти человеческий. Будто ребенок плачет.

— Наверное, просто сука койота с выводком. Щенки койотов пищат, что твои дети — не отличишь.

Пот каплями катился у Кино по лбу, жег ему глаза. Снова раздался тихий плач, и дозорный глянул наверх — на отверстие в каменном склоне.

— Может, и правда койот, — сказал он.

Кино услышал резкий щелчок взводимого курка.

— Если койот, то сейчас он у меня замолчит, — добавил дозорный и вскинул ружье.

Когда громыхнул выстрел, Кино был уже в прыжке. Огромный нож рассек воздух. Что-то сухо хрустнуло: это лезвие пронзило шею и вошло глубоко в грудь. Кино превратился в ужасную машину для убийства и действовал с нечеловеческой силой и быстротой. Одной рукой он выдернул из трупа нож, другой схватил ружье. Потом резко развернулся и, словно дыню, раскроил голову второму врагу. Третий, точно краб, отполз в сторону, соскользнул в озерцо и стал отчаянно карабкаться по обрыву, с которого тонкой струйкой стекала вода. Он цеплялся руками и ногами за спутанные лозы дикого винограда, всхлипывал и что-то жалобно бормотал. Но Кино сделался холоден и смертоносен, как сталь. Он взвел курок, тщательно прицелился и выстрелил. Следопыт рухнул в озерцо. Кино неспешно подошел к воде. В лунном свете ему были видны обезумевшие глаза врага. Он прицелился точно между ними и выстрелил снова.

Кино растерянно замер. Что-то было не так: какой-то сигнал пытался дойти до его сознания. Древесные лягушки и цикады больше не пели. И тут раскаленный от напряжения ум прояснился, и Кино узнал этот звук — отчаянный, тоскливый, душераздирающий крик, который доносился из пещеры в склоне горы. Крик смерти.

* * *

Каждый в Ла-Пасе помнит, как они вернулись. Возможно, кое-кто из стариков видел их возвращение собственными глазами, но даже те, кто слышал о нем от отцов и дедов, помнят его не менее ясно. Событие это поразило всех.

Золотой день незаметно перетекал в вечер, когда первые ошалелые мальчишки пробежали по городу с вестью: «Кино с Хуаной вернулись!» Разумеется, все поспешили на них посмотреть. Солнце клонилось к западным горам, отбрасывая на землю длинные тени. Возможно, именно поэтому возвращение Кино с Хуаной оставило такой глубокий отпечаток в душе у тех, кто его видел.

Они пришли в город по разбитой проселочной дороге. Шагали не гуськом, как обычно — Кино впереди, Хуана сзади, — а бок о бок. Солнце светило им в спину, и перед ними ползли две длинные тени: казалось, Кино с Хуаной несут с собой два столба тьмы. Кино держал на плече ружье, Хуана несла за спиной узелок из шали, где лежало что-то маленькое, тяжелое и безжизненное. Узелок, покрытый засохшей кровью, слегка покачивался при каждом шаге. Лицо Хуаны было сурово, изрезано морщинами и неподвижно от усталости и напряжения, которым она пыталась эту усталость побороть. Ее широко раскрытые глаза смотрели куда-то внутрь, и вся она казалась такой же далекой и недосягаемой, как небо. Зубы у Кино были стиснуты, губы плотно сжаты. Грозный, подобно надвигающейся буре, он внушал страх. Говорят, в обоих чувствовалось нечто, выходящее за пределы человеческого понимания: они прошли сквозь боль и теперь стояли по другую ее сторону, окруженные стеной почти магической защиты. Те, кто собрался на них посмотреть, подались назад, давая дорогу, и даже не попытались с ними заговорить.

Кино с Хуаной шли по городу так, словно его не существовало: не взглядывали ни направо, ни налево, ни вверх, ни вниз, а смотрели прямо перед собой. Они переставляли ноги мелкими рывками, словно ловко сделанные деревянные куклы, а вокруг них клубились столбы черного страха. Брокеры глазели на них сквозь зарешеченные окна, слуги припадали одним глазом к щели в воротах, матери заставляли младших детей отвернуться и прижимали их лицом к своим юбкам. Бок о бок прошли Кино с Хуаной через город из камня и штукатурки, миновали плетеные хижины. Соседи расступались, давая им пройти. Хуан-Томас приветственно поднял руку, да так и застыл с поднятой рукой и непроизнесенным приветствием на губах.

В ушах у Кино пронзительно, словно крик, звучала песня семьи. Он стал неуязвим и ужасен, и песня его превратилась в боевой клич. Кино с Хуаной прошли мимо выжженного квадрата, где когда-то стоял их дом, и даже не посмотрели в ту сторону; пробрались через заросли кустарника, обрамляющие песчаный берег, и осторожно спустились к воде. На разбитое каноэ они тоже не взглянули.

У самой кромки воды они остановились и поглядели вдаль. Затем Кино положил ружье на песок, порылся в складках одежды и достал великую жемчужину. Ее поверхность казалась серой и изъязвленной. Оттуда на него смотрели злобные лица, а в глубине полыхало зарево пожара. Кино увидел в жемчужине безумные глаза лежащего в воде человека, увидел Койотито с отстреленной макушкой. Жемчужина стала уродливой и серой, как злокачественный нарост. В голове у Кино звучала ее музыка, извращенная и безумная. Его рука слегка дрогнула. Он медленно повернулся к Хуане и протянул ей жемчужину. Хуана стояла рядом, по-прежнему держа на плече свою мертвую ношу. Она взглянула на жемчужину, затем посмотрела ему в глаза и тихо произнесла:

— Нет. Ты.

Тогда Кино размахнулся и со всей силы бросил жемчужину в море. Они смотрели, как она летит, сверкая и вспыхивая в лучах заходящего солнца. Потом по воде пошли мелкие круги. Кино с Хуаной еще долго стояли бок о бок и не сводили глаз с этого места.

Жемчужина упала в ласковую зеленую воду и пошла ко дну. Водоросли протягивали к ней свои подрагивающие ветки, словно манили к себе. На ее поверхности весело играли зеленые блики. Жемчужина опустилась на песок среди похожих на папоротники растений. Она лежала на дне, а далеко вверху зеленым зеркалом блестела поверхность воды. Копошащийся рядом краб поднял маленькое песчаное облачко, и когда песок осел, жемчужина исчезла.

Ее музыка становилась все тише, пока не смолкла совсем.

Содержание

Литературно-художественное издание

Стейнбек Джон

О МЫШАХ И ЛЮДЯХ
ЖЕМЧУЖИНА

Повести

Ответственный редактор *Г. Веснина*
Технический редактор *О. Серкина*
Компьютерная верстка *Л. Панина*
Корректор *Э. Казанцева*

Общероссийский классификатор продукции
ОК-034-2014 (КПЕС 2008); 58.11.1 — книги, брошюры печатные

Произведено в Российской Федерации
Изготовлено в 2019 г.
Изготовитель: ООО «Издательство АСТ»

ООО «Издательство АСТ»
129085, г. Москва, Звёздный бульвар, дом 21, строение 1, комната 705, пом. I, 7 этаж.
Наш электронный адрес: **www.ast.ru**
E-mail: neoclassic@ast.ru
ВКонтакте: vk.com/ast_neoclassic

«Баспа Аста» деген ООО
129085, Мәскеу қ., Звёздный бульвары, 21-үй, 1-құрылыс, 705-бөлме, I жай, 7-қабат.
Біздің электрондық мекенжайымыз: www.ast.ru
E-mail: neoclassic@ast.ru

Интернет-магазин: www.book24.kz
Интернет-дүкен: www.book24.kz
Импортёр в Республику Казахстан ТОО «РДЦ-Алматы».
Қазақстан Республикасындағы импорттаушы «РДЦ-Алматы» ЖШС.
Дистрибьютор и представитель по приему претензий на продукцию в Республике Казахстан:
ТОО «РДЦ-Алматы»

Қазақстан Республикасында дистрибьютор
және өнім бойынша арыз-талаптарды қабылдаушының
өкілі «РДЦ-Алматы» ЖШС, Алматы қ., Домбровский көш., 3«а», литер Б, офис 1.
Тел.: 8(727) 2 51 59 89,90,91,92, факс: 8 (727) 251 58 12 вн. 107;
E-mail: RDC-Almaty@eksmo.kz
Өнімнің жарамдылық мерзімі шектелмеген.

Өндірген мемлекет: Ресей
Сертификация қарастырылмаған

Подписано в печать 19.06.2019. Формат 76×100 $^1/_{32}$.
Гарнитура «Newton». Печать офсетная. Усл. печ. л. 11,26.
Доп. тираж 5000 экз. Заказ Э-7286.
Отпечатано в типографии ООО «Экопейпер».
420044, Россия, г. Казань, пр. Ямашева, д. 36Б.

ISBN 978-5-17-099511-0

9 785170 995110 >